ファミリー日誌
2022

目 次

日誌の部

「日誌のしおり」部門別表題 ……………………………………… 1

年齢早見表、令和4年年回表、結婚記念日 ……………………… 3

年間予定表……………………………………………………………… 4

令和4年略歴 ……………………………………………………… 6

各月の節気・行事、月相、花き・園芸作業等、暦と行事予定表

1月…………… 7	5月…………… 83	9月…………161
2月…………27	6月…………103	10月…………179
3月…………45	7月…………121	11月…………199
4月…………65	8月…………141	12月…………217

メートル法、尺貫法換算早見表 ………………………………237

主要農産物の容量と重さの換算表 ……………………………237

郵便料金一覧表 …………………………………………………238

出産・長寿の祝い、時候 ………………………………………240

お国じまん（カラー写真） ………………………………………241

路傍の草花（カラー写真） ………………………………………265

付録 暮らしの記録簿 …………………………………………273

「日誌のしおり」部門別表題

お国自慢　地方色豊かな料理と特産品

「近江しゃも」
　　〜滋賀県が開発したこだわりの高級地鶏〜……… 12
歴史ある和牛「常陸牛」………………………………… 16
希少な春の食べ物「紀州ひろめ」…………………… 20
かいそう……………………………………………… 24
郷土の料理「落花生みそ」………………………… 30
福岡のお酒
　　〜福岡の食を支える日本酒・焼酎〜………… 34
「わけぎあえ」〜春先からの旬の味〜 …………… 38
大和伝承の生薬「ヤマトトウキ」………………… 42
米農家が製造販売の「ふうれん大福」稲作北限の
　　生き残りで作られた絶品………………………… 50
アシタバ（明日葉）………………………………… 54
タラのかぶら蒸し　〜切り身使いカブで彩り〜… 58
「出荷量全国2位の八代生姜」
　　農水省の地理的表示（GI）に登録 ………… 62
100年の恵み　おおいた和牛 ……………………… 68
イワシを使った郷土料理「ほうかむり」………… 72
福井県産ブランド和牛
　　「若狭牛・三ツ星若狭牛」……………………… 76
ふるーつ大福　〜旬の果物、栗等につぶあん、
　　クリームが入って格別な大福です〜………… 80
川カニの"かにばっと"
　　川カニの出汁で作るひっつみ………………… 88
しずおか県初の和牛肉統一ブランド
　　『しずおか和牛』……………………………… 92
佐賀の特産品が盛りだくさんのマジェンバ……… 96
鮭の酒びたし……………………………………… 106
伝統野菜「埼玉青なす」………………………… 110
地域自慢の食材
　　小いわし　〜7回洗えば、鯛の味〜……… 114
初夏の味「唐川びわ」…………………………… 118
よこすか水なす
　　〜サラダもいけるシャキシャキナス〜……… 126
山梨県産農畜水産物ブランド
　　「おいしい未来へ　やまなし」……………… 130
兵庫県産いちじく
　　〜完熟ならではの甘みと香り〜……………… 134
宮崎の特産柑橘「へべす」……………………… 138
県産食材100%「ぐんまのすき焼き」
　　好みの肉・野菜でアレンジ楽しむ料理……… 146
砂丘の恵み、鳥取砂丘らっきょう……………… 150
ポーク玉子がおにぎりになって大ブーム……… 154
大阪産(もん)シラス「シラス」の
　　競争入札の取組み…………………………… 164

もっちり食感の金沢市特産「加賀れんこん」… 168
岡山【冬桃がたり】
　　冬季が食べ頃の全国でも希少な桃………… 172
漢方薬の王様　〜オタネニンジン〜………… 176
長野県オリジナル新品種「クイーンルージュ®」
　　について　〜種がなく皮ごと食べられる赤系
　　ぶどうが市場デビュー！〜………………… 184
「京の米」新品種『京式部』
　　〜京都が誇るプレミアムな米を〜………… 188
航空自衛隊の味を本州最北の下北で！
　　大湊Sora空っ！を召し上がれ！ ………… 192
【阿波晩茶】〜県民に親しまれるお茶〜 …… 196
地鶏の王様　名古屋コーチン……………… 202
宮城県北の郷土料理「はっと」
　　ツルツル、シコシコの食感がやみつきになる、
　　小麦粉料理の一つ「はっと」。…………… 206
果物の女王「ラ・フランス」…………………… 210
"東北のしめさば"で"高知風の鯖ずし"を
　　〜柚子と生姜で〜…………………………… 214
伊達のあんぽ柿
　　〜スローフード　最高の甘み〜 ………… 220
桜島小みかん
　　〜故郷に残したい食材100選〜………… 224
郷土菓子「松皮餅」……………………………… 228
落花生の煮豆…………………………………… 232

川柳に見る日本の風物詩

破魔矢………………………………………………… 18
わかめ………………………………………………… 32
朧月………………………………………………… 60
春眠………………………………………………… 74
八十八夜…………………………………………… 86
いか………………………………………………… 116
月見草……………………………………………… 124
蝉…………………………………………………… 156
トマト……………………………………………… 174
木枯らし…………………………………………… 186
すき焼き…………………………………………… 212
みかん……………………………………………… 226

一度は行ってみたい、全国秘湯めぐり

旭岳温泉…………………………………………… 10
乳頭温泉…………………………………………… 36
湯野浜温泉………………………………………… 56
貝掛温泉…………………………………………… 70
法師温泉…………………………………………… 98

北温泉……………………………… 112
粟津温泉…………………………… 136
中川温泉…………………………… 144
湯の峰温泉………………………… 170
祖谷温泉…………………………… 190
筋湯温泉…………………………… 204
琉球温泉…………………………… 234

役立つ農業・林業情報
リンゴの摘果剤は曲者………………… 14
明日を待つアスナロ…………………… 22
ドローン空撮画像の閲覧・配信手法
　　～大容量空撮画像のウェブ配信～…… 26
土の通気性を測る新しい測定装置……… 26
食肉の「おいしさ」の経時変化………… 40
ササの開花に関する豆知識……………… 48
生物多様性を活用して農村を元気にする研究…… 52
温暖化で広がる亜熱帯果樹栽培………… 78
クビアカツヤカミキリにご注意………… 90
カンキツ栽培でのジベレリン利用……… 94
栃木県育成のあじさい新品種………… 100
施設有機栽培ミニトマトの病害虫防除…… 108
水田を活用した露地野菜栽培における
　　簡易スプリンクラーの効果………… 128
お茶の香りで癒されてみませんか…… 132
樹木疫病禍………………………… 148
ICTデバイスを活用した黒毛和種の
　　発情検知技術…………………… 152
りんごの高密植栽培………………… 158
花のような甘い香りの「香り緑茶」…… 166
森の落ち葉が支える環境保全………… 182
休耕畑のスギナの効果的な防除法…… 194
その食害、カモシカか実はシカか…… 208

堆肥、油粕等の肥効を調べませんか？
　　～減肥に役立つwebアプリ～……… 222
酒米の話…………………………… 230

コラム
イスラム教徒の断食の不思議…………… 25
ボードゲームが老若男女に大人気……… 44
歩く時の姿勢について………………… 44
「バッテラ」の名前はどこから？……… 63
インターネット通販の功罪（その１）……… 64
シャワーヘッドを変えてホテル気分…… 64
クロワッサンはなぜ三日月形か？…… 101
粗食より、バランスの取れた食事が
　　老化を防ぎます。……………… 102
スマートウオッチ、まずは安いものを体験…… 102
ドアの内開きと外開き……………… 139
ブルーツースはとても便利な無線通信…… 140
インターネット通販の功罪（その２）… 140
野菜売り場は何故入口にあるのか…… 159
「しりたいものが、しりたい」
　　～「インターネット通販の功罪」の後日談～… 160
薬はたっぷりの水で飲む…………… 160
焼肉店が増えたわけ………………… 197
ファミリー日誌の編集から刊行まで
　　（その１）……………………… 198
レーシックで視力回復。手術はたったの10分… 198
高熱の時に寒気がするのは？……… 235
ファミリー日誌の編集から刊行まで
　　（その２）……………………… 236
ペットボトルの放置は危険です…… 236

野菜づくり・全国地酒探訪

１月　根菜類のトンネル栽培／
　　　日本全国、地域ごとに名酒あり……… 9
２月　果菜類の苗の作り方・選び方／
　　　地酒の味を決める三大要素　水・米・麹… 29
３月　マメ類を育てる／
　　　知っておきたい日本酒の４つのタイプ… 47
４月　スイカの立体栽培／
　　　知っておきたい日本酒の分類……… 67
５月　夏の健康野菜を作ろう／
　　　北海道・東北地区………………… 85
６月　安全・安心な野菜づくり／
　　　関東地区…………………………… 105

７月　暑い夏の苗づくり／
　　　信越・北陸……………………… 123
８月　気象災害に備える／
　　　東海地方………………………… 143
９月　種の発芽条件と種まきのコツ／
　　　近畿地方………………………… 163
10月　緑肥作物と対抗植物／
　　　中国地方………………………… 181
11月　大家族のアブラナ科野菜／
　　　四国地方………………………… 201
12月　種苗法の改正について／
　　　九州・沖縄地方………………… 219

◎年齢早見表◎

生年	年齢	西暦	干支	生年	年齢	西暦	干支	生年	年齢	西暦	干支
明36	119	1903	癸卯	昭18	79	1943	癸未	昭58	39	1983	癸亥
37	118	1904	甲辰	19	78	1944	甲申	59	38	1984	甲子
38	117	1905	乙巳	20	77	1945	乙酉	60	37	1985	乙丑
39	116	1906	丙午	21	76	1946	丙戌	61	36	1986	丙寅
40	115	1907	丁未	22	75	1947	丁亥	62	35	1987	丁卯
41	114	1908	戊申	23	74	1948	戊子	63	34	1988	戊辰
42	113	1909	己酉	24	73	1949	己丑	平1	33	1989	己巳
43	112	1910	庚戌	25	72	1950	庚寅	2	32	1990	庚午
44	111	1911	辛亥	26	71	1951	辛卯	3	31	1991	辛未
大1	110	1912	壬子	27	70	1952	壬辰	4	30	1992	壬申
2	109	1913	癸丑	28	69	1953	癸巳	5	29	1993	癸酉
3	108	1914	甲寅	29	68	1954	甲午	6	28	1994	甲戌
4	107	1915	乙卯	30	67	1955	乙未	7	27	1995	乙亥
5	106	1916	丙辰	31	66	1956	丙申	8	26	1996	丙子
6	105	1917	丁巳	32	65	1957	丁酉	9	25	1997	丁丑
7	104	1918	戊午	33	64	1958	戊戌	10	24	1998	戊寅
8	103	1919	己未	34	63	1959	己亥	11	23	1999	己卯
9	102	1920	庚申	35	62	1960	庚子	12	22	2000	庚辰
10	101	1921	辛酉	36	61	1961	辛丑	13	21	2001	辛巳
11	100	1922	壬戌	37	60	1962	壬寅	14	20	2002	壬午
12	99	1923	癸亥	38	59	1963	癸卯	15	19	2003	癸未
13	98	1924	甲子	39	58	1964	甲辰	16	18	2004	甲申
14	97	1925	乙丑	40	57	1965	乙巳	17	17	2005	乙酉
昭1	96	1926	丙寅	41	56	1966	丙午	18	16	2006	丙戌
2	95	1927	丁卯	42	55	1967	丁未	19	15	2007	丁亥
3	94	1928	戊辰	43	54	1968	戊申	20	14	2008	戊子
4	93	1929	己巳	44	53	1969	己酉	21	13	2009	己丑
5	92	1930	庚午	45	52	1970	庚戌	22	12	2010	庚寅
6	91	1931	辛未	46	51	1971	辛亥	23	11	2011	辛卯
7	90	1932	壬申	47	50	1972	壬子	24	10	2012	壬辰
8	89	1933	癸酉	48	49	1973	癸丑	25	9	2013	癸巳
9	88	1934	甲戌	49	48	1974	甲寅	26	8	2014	甲午
10	87	1935	乙亥	50	47	1975	乙卯	27	7	2015	乙未
11	86	1936	丙子	51	46	1976	丙辰	28	6	2016	丙申
12	85	1937	丁丑	52	45	1977	丁巳	29	5	2017	丁酉
13	84	1938	戊寅	53	44	1978	戊午	30	4	2018	戊戌
14	83	1939	己卯	54	43	1979	己未	令1	3	2019	己亥
15	82	1940	庚辰	55	42	1980	庚申	2	2	2020	庚子
16	81	1941	辛巳	56	41	1981	辛酉	3	1	2021	辛丑
17	80	1942	壬午	57	40	1982	壬戌	4	0	2022	壬寅

◎令和4年年回表◎

1周忌	令和3年	23回忌	平成12年
3回忌	2	27〃	8
7〃	平成28年	30〃	5
13〃	22	33〃	2
17〃	18	37〃	昭和61年
21〃	14	50〃	48

◎結婚記念日◎

1年	紙婚式	20年	陶器婚式
2年	藁婚式	25年	銀婚式
3年	菓子婚式	30年	真珠婚式
4年	革婚式	35年	珊瑚婚式
5年	木婚式	40年	ルビー婚式
7年	銅婚式	45年	サファイア婚式
10年	錫婚式	50年	金婚式
15年	水晶婚式	70年	プラチナ婚式

●年間予定表

	1月	2月	3月	4月	5月	6月
1	░				░	
2	░					
3				░	░	
4					░	
5					░	░
6		░	░			
7						
8					░	
9	░					
10	░			░		
11		░				
12						░
13		░	░			
14						
15					░	
16	░					
17				░		
18						
19						░
20		░	░			
21			░			
22					░	
23	░					
24				░		
25						
26						░
27		░	░			
28						
29		—		░	░	
30	░	—				
31		—		—		—

— 4 —

	7月	8月	9月	10月	11月	12月	
							1
				■			2
	■				■		3
			■			■	4
							5
					■		6
		■					7
							8
				■			9
	■			■			10
		■	■			■	11
							12
					■		13
		■					14
							15
				■			16
	■						17
	■		■			■	18
			■				19
					■		20
		■					21
							22
			■	■			23
	■						24
			■			■	25
							26
					■		27
		■					28
							29
				■			30
	■						31

令和 **4** 年 略歴

2022

国民の祝日

元　　　　日	1月1日
成 人 の 日	1月10日
建国記念の日	2月11日
天 皇 誕 生 日	2月23日
春 分 の 日	3月21日
昭 和 の 日	4月29日
憲 法 記 念 日	5月3日
みどりの日	5月4日
こどもの日	5月5日
海 の 日	7月18日
山 の 日	8月11日
敬 老 の 日	9月19日
秋 分 の 日	9月23日
スポーツの日	10月10日
文 化 の 日	11月3日
勤労感謝の日	11月23日

行　　事

メ ー デ ー	5月1日
母 の 日	5月8日
気 象 記 念 日	6月1日
世界環境デー	6月5日
時 の 記 念 日	6月10日
父 の 日	6月19日
終 戦 記 念 日	8月15日
統 計 の 日	10月18日
クリスマス	12月25日

民俗行事

七　　　　草	1月7日
小 正 月	1月15日
二 十 日 正 月	1月20日
旧 正 月	2月1日
初 午	2月10日
ひ な 祭 り	3月3日
はな祭り	4月8日
端 午	5月5日
七 夕	7月7日
ぼ ん	7月15日
旧 ぼ ん	8月12日
月遅れぼん	8月15日
十 五 夜	9月10日
十 三 夜	10月8日
七 五 三	11月15日

そ の 他

土 用(冬)	1月17日
社 日(春)	3月16日
彼岸入り(春)	3月18日
彼岸明け(春)	3月24日
土 用(春)	4月17日
土 用(夏)	7月20日
彼岸入り(秋)	9月20日
社 日(秋)	9月22日
彼岸明け(秋)	9月26日
土 用(秋)	10月20日

節 気 ・ 雑 節

小 寒	1月5日	立 夏	5月5日	二 百 十 日	9月1日
大 寒	1月20日	小 満	5月21日	白 露	9月8日
節 分	2月3日	芒 種	6月6日	二 百 二 十 日	9月11日
立 春	2月4日	入 梅	6月11日	秋 分	9月23日
雨 水	2月19日	夏 至	6月21日	寒 露	10月8日
啓 蟄	3月5日	半 夏 生	7月2日	霜 降	10月23日
春 分	3月21日	小 暑	7月7日	立 冬	11月7日
清 明	4月5日	大 暑	7月23日	小 雪	11月22日
穀 雨	4月20日	立 秋	8月7日	大 雪	12月7日
八 十 八 夜	5月2日	処 暑	8月23日	冬 至	12月22日

ホーランエンヤ
（大分県豊後高田市）

●節気・行事●

元	日	1日
小	寒	5日
七	草	7日
成 人 の 日		10日
小 正 月		15日
や ぶ 入 り		16日
土	用	17日
二十日正月		20日
大	寒	20日

●月　　　相●

○満	月	18日
●新	月	3日

1月

January

1月の花き・園芸作業等

花　き

　花壇予定地の堀り返しと肥料、石灰の施用。パンジー、アイスランドポピー、アリッサム、ユリオプスデージー、ロベリアなど市販草花苗の植付け。株立ちバラの剪定。庭木・花木への寒肥施用と石灰硫黄合剤、マシン油乳剤の散布。クリスマス・ホーリー、アオキなどの種子採り。

野　菜

　ほ場利用計画。資材整備。育苗材料・支柱の水洗消毒。ミツバ、フキ、チシャ、シュンギク、エンドウの防寒。キャベツ、タマネギ、ホウレンソウの中耕、追肥。ニラ、フキ、ミョウガ、ウド、ショウガ、ネギ、ホウレンソウ、ハクサイ、セルリの収穫。

果　樹

　果樹園利用計画。諸資材準備。ナシ、リンゴ、モモ、ブドウ、イチジク、カキ、クリの剪定。ミカン園の深耕、台木の準備と接ぎ穂の採取。カイガラ虫駆除のための機械油乳剤の散布。ブドウ棚、ナシ棚の修理。密植果樹園の間伐。

1月 暦と行事予定表

		節 気 ・ 行 事	予　　定
1	土	◉ 元日、年賀、歳旦祭、初詣、修正会	
2	日	初荷、初夢、書初め、皇居一般参賀	
3	月	新月	
4	火	官庁御用始め	
5	水	小寒、イチゴの日	
6	木	六日年越し、公現祭	
7	金	七草、七草がゆ、人日、庚申	
8	土	初薬師	
9	日	宵えびす	
10	月	◉ 成人の日、十日えびす、初金比羅 110番の日、上弦の月	
11	火	鏡開き、蔵開き、塩の日、天赦日、甲子	
12	水	スキー記念日	
13	木		
14	金	十四日年越し	
15	土	小正月、小豆がゆ、鑽日	
16	日	やぶ入り、賽日、えんま詣り、己巳	
17	月	土用、防火とボランティアの日	
18	火	初観音、満月	
19	水		
20	木	二十日正月、大寒	
21	金	初大師	
22	土		
23	日	アーモンドの日、乳酸菌の日	
24	月	初地蔵、法律扶助の日	
25	火	初天神,下弦の月	
26	水	文化財防火デー	
27	木	国旗制定記念日	
28	金	初不動	
29	土	南極昭和基地開設	
30	日		
31	月	生命保険の日、防災農地の日	

根菜類のトンネル栽培

ダイコン、ニンジン、カブは低温性野菜でおおむね15〜20℃が生育適温ですが、生育初期はやや高温、生育後期はやや低温で根の伸長・肥大が優れます。

ダイコン、ニンジン、カブは、寒さを感じて花芽が分化・形成され、その後の長日で花茎の伸長が始まります（「とう立ち」という）。春まき栽培で最も注意することは、収穫までは「とう立ち」させないことです。

トンネル栽培は生育初期の保温と生育後半に換気をして、根菜類に適した温度管理ができます。

【品種を選ぶ】

いずれの野菜もとう立ちしにくい（晩抽性）品種を選びましょう。さらに、低温期にも根の伸長・肥大のよい特性があれば、万全です。

【保温と換気】

種まき期は低温のため、トンネル栽培で保温します。しかし、3〜4月は気温上昇期に当たり、日中のトンネル内気温が上がりすぎ、30℃を越えてしまいます。このような高温は根菜には不適切なため、温度が上がりすぎないように換気を行います。フィルムのスソを開閉して換気する方法と初めから穴あきフィルムを使う方法があります。

穴あきフィルムは、生育後半になってからの換気の手間が省けます。そして、生育後半は、外気温が平均12℃程度（ヤエザクラの開花時期）になったらトンネルを除きます。

【梅雨入り前に収穫を終える】

関西〜関東では例年6月上中旬に梅雨入りしますが、降雨により病気が発病しやすくなります。

また、高温期に向かい、害虫の被害もあります。そこで、可能な限り早まきして、梅雨入りまでに収穫を終える工夫をしましょう。

（神奈川県種苗協同組合　成松　次郎）

その1
日本全国、地域ごとに名酒あり

有史以来、世界中で作られ、愛され続けてきた酒。日本の酒の代表格といえば、なんといっても主食の米から作る日本酒でしょう。

昨今、美食家が集うパリやニューヨークの高級レストランでは、ワインとともに、日本の地酒、すなわち小から中規模の蔵元がこだわりを持ちながら作る日本酒を並べる店が少なくありません。ワインと伍して選ばれるその理由は、ワインと並び評される、豊かな味わいのバラエティにあると言われています。

日本酒、特に地酒の味わいを生み出すもとは何かと言えば、気温と温度です。

日本酒は米を原料に、米麹、酒母、仕込み水を入れた液体である醪を発酵させて作りますが、気温が高いと発酵が進み、アルコール度数が高い、比較的辛く豊かな味わいの酒となります。

反対に気温が低く、発酵が抑えられ気味だと度数が抑えられ、さっぱりとした、穏やかな味わいとなるのです。

発酵期間だけでなく、貯蔵されてからの蔵の温度も酒の風味に影響を与えます。昨今では冷房完備の蔵元が増え、地域差は比較的小さくなったと言われますが、それでも各地の気候や蔵の温度が酒造りに与える影響は小さくありません。

日本は南北に長く、おいしい米と水に恵まれた国です。この地理的特徴と自然の恵み、そして日本人ならではのこだわりが日本全国に素晴らしい地酒を生み出し、世界中の人々を魅了し続けているのです。

今回は、地酒探訪と銘打ち、知っておきたい地酒の知識と、日本各地の地酒を巡る旅をお届けします。

（ライター・千羽　ひとみ）

| 1 月 1 日⊕ | 天気 | 行事 |
| | 気温　　　　℃ | |

🎌 元日

年賀、歳旦祭、初詣、修正会

| 1 月 2 日◉ | 天気 | 行事 |
| | 気温　　　　℃ | |

初荷、初夢、書初め、皇居一般参賀

一度は行ってみたい、全国秘湯めぐり①

**大雪山から望む雄大な自然を目の前に
森林浴気分が楽しめる旭岳温泉**

　北海道の屋根といわれる大雪山連峰の中でも、特に眺望のよさで知られるのが、標高約2000mの旭岳。

　その旭岳の裾野に広がるのが、かつてアイヌの人々が「カムイミンタラ（神々の遊ぶ庭）と呼んで守り続けてきた旭岳温泉です。

　全国屈指の高地温泉である旭岳温泉には、ミズバショウやエゾノツガザクラ、キバナシャクナゲなどの高山植物が群生し、雄大な原生林の風景を形作っています。

　旭岳山頂に向かうロープウェイからは6月下旬まで白い残雪を見ることができ、観光客や湯治客にも好評です。

　旭岳温泉には2系列6カ所の源泉があり、全部あわせて毎分約1560ℓという、豊富な湯量を誇っています。

　宿ごとに違う源泉を引き、複数の源泉を合わ

1 月 3 日㊊	天気		行事
	気温	℃	

新月

1 月 4 日㊋	天気		行事
	気温	℃	

官庁御用始め

せ持つ旅館もあることから、旭岳温泉の核施設を回ってお湯比べをすることもできます。

　旭岳温泉の緑がかった透明なお湯は、肌ざわりがサラサラでクセがなく、万人に愛される泉質といえます。各旅館では温泉を「神水」と称して飲めるところも多く、この飲み湯を楽しみに訪れる人も少なくないそうです。

　旭岳温泉で大正3年に開湯した湧駒荘（ゆこまんそう）は、古き良きいで湯の雰囲気を味わえる老舗旅館。毎分300ℓ以上の湯量を誇る温泉の泉質は硫酸塩泉・正苦味泉、石こう泉、炭酸水素塩泉などと多種多彩です。

　特に「正苦味泉」は、日本でも珍しいマグネシウム泉で、大変希少な名湯です。

　各宿泊施設の趣向を凝らした内風呂も魅力いっぱいですが、星空の下で入る露天風呂はまた格別。

　北海道の大自然の中で、野趣豊かな秘湯の趣をぜひお楽しみください。

1 月 5 日㊌	天気		行事	
	気温	℃		

小寒、イチゴの日

1 月 6 日㊍	天気		行事	
	気温	℃		

六日年越し、公現祭

「近江しゃも」～滋賀県が開発したこだわりの高級地鶏～

近江しゃもは、平成5年（1993年）に、滋賀県が独自開発したブランド地鶏です。今回は、近江しゃもの3つのこだわり（特徴）を紹介します。

①近江しゃものこだわり「肉質」。近江しゃもは、肉つきが優れたロードアイランドレッド種の雄と、味の良い横紋プリマスロック種の雌から生まれた雌に、最高の肉質を誇るしゃも種の雄を交配する三元交配で誕生します。その肉質は、ぷりぷりでコリっとした歯ごたえと、噛むほど

に豊かでコクのあるうま味が口中に広がるのが特徴です。

②近江しゃものこだわり「飼育方法」。近江しゃもは、一般的な肉用鶏の2.5倍（約140日間）かけて、じっくりと育てられます。飼育中は、鶏舎でのびのびと運動することで筋肉がつき、肉質が良くなります。さらに、エサにもこだわり、滋賀県産のお米を配合することで、うま味のある肉質を追求しています。

③近江しゃものこだわり「食べ方」。煮ても、

1 月 7 日㊎	天気	行事
	気温　　　　℃	

七草、七草がゆ、人日、庚申

1 月 8 日㊏	天気	行事
	気温　　　　℃	

初薬師

　焼いても旨い近江しゃもですが、すき焼きと鉄板焼きが、おススメです。また、鶏がらは、良いスープが出るので、このスープで作るカレーも絶品です。
　このように近江しゃもは、「肉質」・「飼育方法」・「食べ方」にこだわり、その味・コク・歯ごたえ・栄養バランスどれをとっても一級品のブランド地鶏です。ぜひ一度、近江しゃもをご賞味ください。

問い合わせ先：近江しゃも普及推進協議会
　　　　　　　（電話：0748-33-4345）

　動画投稿サイトYouTubeにて、近江しゃものPR動画を公開中。

（滋賀県農政水産部 食のブランド推進課
　　　　　　　　　　　　　　西村　仁）

1 月 9 日 ㊐	天気	行事
	気温　　　℃	

宵えびす

1 月 10 日 ㊊	天気	行事
	気温　　　℃	

📷 成人の日、十日えびす、初金比羅、110 番の日、上弦の月

リンゴの摘果剤は曲者

　果樹は、着果量を制限しないと品質のよい果実がとれないばかりか、実の成る年と成らない年を交互に繰り返すようになります。毎年安定して品質のよい果実をとるための適正な着果量というものがどの樹種でも決まっており、着果数をその値に調整する作業が摘果と呼ばれるものです。たくさんの幼果の中から、素性のよいもの（傷がない、形が整っている、大きくなりそう、など）を選び、余分な果実は摘みとります。

　リンゴ栽培では、この余分な果実を薬剤で落とす方法が実用化されています。殺虫剤の一種にリンゴの生理落果を助長するものがあり、その薬剤がリンゴの摘果剤として登録されています（NAC水和剤）。

　この摘果剤があれば人手で摘果をしなくてもいいかと言えば、そうはうまく行きません。形の整った幼果を選んで残すには、やはり最後は人の目と手による選別が必要ですが、それでも、1本の木に成っている幼果の9割以上を落とすのが摘果作業であるため、なるべく多くの果実

1 月 11 日 ㊋	天気		行事
	気温	℃	

鏡開き、蔵開き、塩の日、天赦日、甲子

1 月 12 日 ㊌	天気		行事
	気温	℃	

スキー記念日

は摘果剤で落としたい。ただ、摘果剤でどの程度落果するかは、木の状態と天候によって大きく変わります。

花がたくさん咲いて木が弱り気味だとよく落ちます。一方、満開3〜4週間後の天気がいいと、生理落果が起こりにくくなるため摘果剤も効きづらくなります。摘果剤の処理条件（濃度、処理回数、処理時期）よりも、この木の状態や天候の方が効果には大きく影響します。

摘果剤はなかなか曲者、一筋縄ではいきません。

リンゴの幼果

（農研機構 果樹茶業研究部門　岩波　宏）

1 月 13 日 ㊍	天気		行事	
	気温	℃		

1 月 14 日 ㊎	天気		行事	
	気温	℃		

十四日年越し

歴史ある和牛「常陸牛」

　茨城県が誇る銘柄牛「常陸牛」は、指定生産者の情熱と長い期間培われた確かな飼養技術に支えられた高級ブランド牛です。

　県内の指定生産者が約30か月にわたり育てた黒毛和牛のうち、食肉取引規格A、Bの４等級以上に格付けされたもののみを「常陸牛」と呼ぶことができます。

　茨城県の養牛の歴史は古く、今から遡ること約190年前、天保３年に徳川斉昭公が現在の水戸市内に桜野牧を設け、そこで黒牛を飼育した

ところから始まったと言われています。時代を重ねると共に、養牛の形が変わり、県内で品質の高い黒毛和牛が生産されるようになり、昭和51年に「常陸牛」が誕生しました。

　健康でしっかりした骨格を持った牛となるよう、大麦、小麦、とうもろこし、大豆などのミネラルが豊富な飼料をはじめ良質な牧乾草と稲ワラを充分食べさせています。仕上げの時期になると、管理の徹底した牛舎で毎日しっかりと目を配って飼育します。これにより、筋肉の中

1 月 15 日㊏	天気		行事
	気温 ℃		

小正月、小豆がゆ、鑞日

1 月 16 日㊐	天気		行事
	気温 ℃		

やぶ入り、賽日、えんま詣り、己巳

に良質な脂肪が入り、見た目にも美しくおいしい霜降り肉となります。また、じっくりと肥育するため、風味と香りが良い特長があります。

近年、アメリカや東南アジア方面への輸出が始まり、いずれも高い評価を得ています。また、生産者をはじめとする関係者の努力により、常陸牛を買えるまたは食べられるお店が、国内外を併せて約600店舗まで拡大しました。このような取り組みの結果、令和2年度の年間販売頭数が初めて1万頭を達成しました。

茨城県を代表するブランド牛「常陸牛」。見かけた際には、ぜひお召し上がりください。

（茨城県営業戦略部 販売流通課

河西　麗奈)

1 月 17 日㋲	天気		行事
	気温 ℃		

土用、防火とボランティアの日

---

1 月 18 日㋫	天気		行事
	気温 ℃		

初観音、満月

破魔矢

参道を破魔矢の波の新春譜　　　山崎　春栄

　破魔矢を手に初詣を終えた人達に逢うのも正月ならではの風景である。

すれ違う破魔矢しあわせそうな人　吉田トヨ子

　むかし「はまころ」という正月の子供の遊びがあった。藁などで作った円盤状のものを空中に投げたり、転がしたりして、それを弓矢で射止めるもので「はま」とは円盤状の的のこと。弓は「はまゆみ」といった。「はま」に漢字の破魔があてられた時期は判らない。

生家古り破魔矢一本眼に残り　　　古賀　千鶴

　破魔弓や破魔矢は、厄除けとして男の子の初正月に贈る風習がいつの頃からか生じた。生家で目に残った破魔矢はお祝いに頂いたものだったのではないだろうか。男児の息災を願う飾りものから、男女の差別は消え、子供の厄除けとなった。

インフレの的をしぼっている破魔矢 山長　岳人

　現在は正月の縁起物との地位付けがされているようだが、それに伴って役割や形態、呼称に

| 1 月 19 日㊌ | 天気 | 行事 |
| | 気温　　　　℃ | |

| 1 月 20 日㊍ | 天気 | 行事 |
| | 気温　　　　℃ | |

二十日正月、大寒

もいろいろある。
　例えば、大阪の住吉大社では黄金色の矢柄に白い羽をつけて「黄金の矢」と呼ばれている。大阪天満宮では梅の赤い「幸矢（さちや）」で知られる。東京の富岡八幡宮の「開運の矢」は、八幡大菩薩が現在の社地を白羽の矢で指し示した縁起にもとづいている。鎌倉の鶴岡八幡宮は破魔矢と除魔神事にちなむ「大当たり矢」とがある。効用は時代の中で多様化している。

心中の虫を払わん破魔矢受く　　　上久保山人

破魔矢受け今年に賭けるものがある 木本　如州
　ふつふつと心にたぎるものを感じるのも新年。生活に余裕がない時は破魔矢を買おうと思ったこともない。今はありがたいことだ。
破魔矢買う小さな贅のぬくもりに　　　桑野晶子
人並みに守護矢も受けて初詣で　　　櫛田　信子

（NHK学園　川柳講師　橋爪まさのり）

1 月 21 日㊎	天気		行事	
	気温	℃		

初大師

1 月 22 日㊏	天気		行事	
	気温	℃		

希少な春の食べ物「紀州ひろめ」

　ひろめは、海藻としてはあまり聞き慣れないと思いますが、以前テレビで人気番組の「秘密のケンミンショウ」で「ヒトハメ」の名で紹介されたことがあるそうです。

　これは、わかめと同属同種コンブ目チガイソ科の海藻で、全国でもごく限られた海域しか分布していない非常に希少な海藻とのことです。地元では「大きなひとつの葉っぱ」ということから、「ヒトハメ（一葉布）」また、幅が〔ひろい〕〔め・布〕からそう呼ばれていると言われ

ています。

　ひろめは、最大１ｍほどまでに生長し、大きなうちわの様な形をしています。食べるとやわらかくてとろみがあり、シャキシャキとした独特の食感・歯ごたえが特徴です。

　また、海藻特有のぬめり成分には植物繊維が多く含まれており、特に植物繊維の一種であるフコイダンについては、わかめや・こんぶ・の数倍多く含まれています。

　収穫時期は、１月下旬から４月上旬までで２

1 月23日 ㊐	天気	行事
	気温　　　℃	

アーモンドの日、乳酸菌の日

1 月24日 ㊊	天気	行事
	気温　　　℃	

初地蔵、法律扶助の日

～３ケ月間だけの季節限定産品です。和歌山県内でも、田辺湾を中心に南の串本方面、紀南地域でしか水揚げされていません。

収獲量は少なく、大半が地元で消費されるため県外へはもちろん県庁所在地の和歌山市内での流通は、ごくわずかという状況です。

ひろめのおいしさは格別で、しゃぶしゃぶを始め酢のもの・鍋物・サラダ・みそ汁・一品料理にと様々な料理に使われ、地元では春を告げる海藻として人気があります。

今後収獲量を増やしていくために、和歌山南漁業協同組合では、養殖に取り組んでいますが生育はあまり良くない様で、もう少し時間がかかりそうです。

（農林統計協会　賛助会員　楠部　哲夫）

1 月 25 日 ㊋	天気		行事	
	気温	℃		

初天神、下弦の月

1 月 26 日 ㊌	天気		行事	
	気温	℃		

文化財防火デー

明日を待つアスナロ

　アスナロやヒバという木をご存知ですか？ヒバはヒノキアスナロとも呼ばれ、どちらもヒノキの仲間です。アスナロの名の由来は「明日はヒノキになろう」の意だと言われますが、これを俗説として否定する人もいます。真偽はともかく、アスナロの生き方を見ていると、この説はあながち的外れでもない気がするのです。

　アスナロの稚樹は、明るい場所ではヒノキのように幹をまっすぐ伸ばして育ちます。一方、より大きな木々が茂り日の当たらない場所で

は、幹をほとんど伸ばしません。枝葉は僅かに伸びるので、形が水平方向に広く平らになります。これは少ない光を効率よく受けるのに有利です。こうして何年経ってもまるで盆栽のように低く幹は細いまま、枯れずに生き続けます。高さ約70cmのヒノキアスナロを調べたら50年以上も生きていた例もあります。こうしたアスナロの生き方にはどのような意味があるのでしょうか？

　暗い場所では、小さいままでいることが長生

1 月27日㊍	天気		行事	
	気温	℃		

国旗制定記念日

---

1 月28日㊎	天気		行事	
	気温	℃		

初不動

きの秘訣だと考えられます。暗い場所では光合成で得られるエネルギーが少ないものの、成長せずにいれば使うエネルギーも節約できます。上に茂る木々が倒れたり枯れたりして日が当たるチャンスを待ち、明るくなれば上に向けて幹を伸ばし始めるのです。

　大きな木々の下で小さいまま長期間耐えて、世代交代の機会をじっと待つのがアスナロの生き方です。アスナロが「ヒノキになる」のを望んでいるのかは分かりませんが、「明日を待って」いることは確かなようです。

（森林研究・整備機構 森林総合研究所
　　　森林植生研究領域　櫃間　岳）

1 月29日⊕	天気		行事	
	気温	℃		

南極昭和基地開設

1 月30日❸	天気		行事	
	気温	℃		

かいそう

コトジツノマタ（海草）を良く煮溶かして固めたものです。

海匝、山武地域では、新しい年を祝う喜びの料理として、欠かせません。

コトジツノマタは、飯岡町の刑部岬下の海でとれます。

水：1ℓ
青のり：小さじ1
塩：大さじ1～2（お好みで）

【作り方】
①海草の石や貝をとり除き、手早く洗います。
②深鍋に水と海草をいれ、最初は強火で煮て、海草がとけ始めたら中火にして、かき回しながら、とけるまで煮ます。

【材料】
海草（コトジツノマタ）：100ｇ
しょうゆ：大さじ1

③煮えたら、塩、しょうゆを加え、容器に泡を

コラム

イスラム教徒の断食の不思議

　　イスラム教徒は世界に16億人もいるのですが、われわれ日本人にとっては縁が薄く、なかなか彼らの生活が見えてきません。その中で一番驚かされるのが、1年うち1か月は断食をしなければならないという厳しいコーランの戒律があることです。

　　断食を行うのは、太陰暦の9月（ラマダン月）です。新月の夜から次の新月が出るまでの30日間がその期間ですが、本当に彼らは断食をしているのか。食事を摂らないで餓死しないのか？

　　安心して下さい。アラーの神はなかなか寛容で、断食月でも日没から夜明けまでは飲み食いが許されているのです。日中でも午後からは食事を作ることはOKで、じっと日没を待ち、日没を知らせる空砲が鳴ると、一斉に食事を始めます。そのあと、深夜、夜明け前にも食事をするそうです。

参考図書
『今さら他人に聞けない疑問650』
知恵の森文庫

いれないように静かに流しいれ、青のりをふり固めます。
※お好みで、のりやかつお節、醤油をかけていただきます。

【こつ】
①煮かげんは、しゃもじで鍋底に線を引き、線が見える程度とします。
②泡をいれないように流しいれ、固めます。

（ちば県女性農業者ネットワーク

秋葉　久恵）

ドローン空撮画像の閲覧・配信手法　～大容量空撮画像のウェブ配信～

　近年、ドローンの高機能化と低価格化が進んでおり、様々な分野での活用が広がっている。農業分野においても、生育の様子を取得する手段としてドローンを利用する手法の開発が進行している。最近は、NDVI(正規化植生指数)が得られるカメラを搭載したドローンなど、農業分野での利用を意識した技術開発も盛んである。

　ドローンで空撮することで、上空から撮影された画像が得られるのはもちろん、適切な重なりを持って撮影された複数枚の写真から作物の三次元的な広がりを再構築するといった技術もある。また、地上にある複数の基準点を測量しておくことで、正確な位置情報が付加された画像を生成することも可能である。しかし、便利な一方、課題もある。

　1つの大きな問題は、そのようにして生成して得られた画像は、ファイルサイズが非常に大きくなってしまうことである。農研機構は、それらの大容量空撮画像をインターネット経由で扱うためのシステム「ドローン空撮画像の配信・閲覧のためのウェブシステム（登録番号：機構-K20)」を開発した。本システムは、位置情報付きの空撮画像を小さな画像ファイル群に分割する処理をあらかじめ施しておくことで、インターネット経由であっても円滑に画像を表示することができるようにしたものである。

　また、既存の地図サービスなどと類似した操作感で、画像のズームや移動が可能である。さらに、撮影時期の異なる複数枚の画像を同期させて閲覧することができる。そうすることで、例えば特定の株に着目して生育の時系列的な変化を把握するといったことを実現している。

（農研機構 北海道農業研究センター
　　　　　寒地畑作研究領域　伊藤　淳士)

土の通気性を測る新しい測定装置

　水田転換畑では、しばしば湿害が大きな問題となります。湿害の主な原因は土壌の酸素濃度が低下することです。雨などにより土壌の水分量が高まると、土壌の通気性が低下し、地上には十分な濃度の酸素があっても地表の酸素が土壌中に十分な速度で流入しなくなってしまいます。土壌の通気性を知ることは、湿害を防ぎ転作作物の健全な生育を促すためにも、大変重要なことだといえます。しかし土壌の通気性は土壌ごとに異なるうえ、その測定が難しく、現地で直接測定できる方法は今までありませんでした。

　農研機構では近年、「ガス拡散係数測定装置」を開発しました。これは圃場の「相対ガス拡散係数」を簡単に現地で測定する装置です。「相対ガス拡散係数」とは通気性を代表する値であり、この値が0.02以下に低下すると、酸素欠乏により植物の根の伸長が抑制されることがわかっています。この装置を使うことで、土壌の通気性が根の伸長に十分かどうかが診断できるわけです。

　本装置の活用例を1つご紹介します。本装置で全国の38の土壌を測定した結果、耕うんされた作土の「相対ガス拡散係数」が0.02以下となる土壌はありませんでした。これに対し、すき床層では、半分程度の圃場で「相対ガス拡散係数」が0.02を下回っていることがわかりました。つまり、すき床層の通気性の悪化が、根が深い位置まで伸長できない理由の1つになっているのです。また、耕うんは通気性の改善に効果的であることがわかります。

　本装置の詳細は農研機構のホームページから「標準手順書」として公開されています。興味がある方は「圃場オンサイト計測による簡易な土壌物理性診断」で検索ください。

（農研機構　東北農業研究センター
　　　　　　　　　　髙橋　智紀)

かまくら
（秋田県横手市）

旧　　正　　月	1日
節　　　　　分	3日
立　　　　　春	4日
初　　　　　午	10日
建国記念の日	11日
旧　小　正　月	15日
雨　　　　　水	19日
旧二十日正月	20日
天　皇　誕　生　日	23日

●月　　　相●

| ○満　　　月 | 17日 |
| ●新　　　月 | 1日 |

2月の花き・園芸作業等

花　き

　サクラソウの株分けと植替え。ツルバラの支柱への誘引。チューリップ、ムスカリ、スイセンなど秋植え球根の追肥。ウメ、サクラ、モクレン、バラなど落葉樹の接木。落葉樹の剪定と移植。生け垣の剪定と追肥。芝生の目土入れ。

野　菜

　早熟用果菜類の播種。夏採セルリ、チシャの冷床播種。半促成果菜類支柱消毒。カブ、ダイコン、ホウレンソウの播種。秋まきキャベツ、カリフラワー、ブロッコリー、ネギの定植。

果　樹

　落葉果樹の植付け、剪定整枝。粗皮削り、落葉果樹に対する施肥。ナシ、ブドウの誘引。ブドウ、ウメの接ぎ木。ブドウ、イチジクの挿し木。ミカン園の深耕、ガスくん蒸。ブドウの剥皮。ウメケムシの採卵、焼殺。

2月 暦と行事予定表

	節 気・行 事	予　　定
1 （火）	旧正月、テレビ放送記念日、新月	
2 （水）	国際航空再開の日 交番設置記念日、麩の日	
3 （木）	節分、豆まき、恵方巻き	
4 （金）	立春	
5 （土）		
6 （日）	海苔の日	
7 （月）	北方領土の日	
8 （火）	こと始め、針供養、上弦の月	
9 （水）	河豚の日、服の日	
10 （木）	初午、ニットの日、ふとんの日	
11 （金）	◉ 建国記念の日	
12 （土）	レトルトカレーの日	
13 （日）	苗字制定記念日	
14 （月）	聖バレンタインデー	
15 （火）	旧小正月、全国緑化キャンペーン、ねはん会	
16 （水）	全国狩猟禁止、天気図の日、寒天の日	
17 （木）	アレルギー週間（23日まで）、満月	
18 （金）		
19 （土）	雨水、ひな人形飾り付けの日	
20 （日）	旧二十日正月、旅券の日、歌舞伎の日	
21 （月）	日刊新聞創刊の日	
22 （火）	世界友情の日、猫の日	
23 （水）	◉ 天皇誕生日、税理士記念日、ふろしきの日	
24 （木）	下弦の月	
25 （金）		
26 （土）	二・二六事件の日（昭和11年）	
27 （日）		
28 （月）	ビスケットの日	

果菜類の苗の作り方・選び方

2月の野菜づくり

　トマトなどの果菜類は、苗半作といわれるように、苗づくり中の管理がその後の生育に大きく影響します。そして、苗を購入するときにはよい苗を選びましょう。

【用土】

　限られた用土でよい苗を作るためには、よい用土が必要です。それは、①水はけがよく、水もち、肥もちに優れる、②生育に必要な肥料養分がバランスよく含み、酸度はPH6〜6.5程度、③病害虫、雑草種子がない、④土質が均一で入手しやすいことです。

【管理のポイント】

　①温度を確保するために、育苗フレームやハウスなどを使います。トマトの発芽適温は25〜30℃で、発芽後は15〜20℃の地温が必要です。そのためには、電熱線を配した温床で苗づくりをします。②ポット育苗では用土が少ないため、苗づくりの後半には、肥料不足となり、液肥によるかん水が必要となる場合

もあります。一方では、苗の徒長を抑えるために乾燥気味にします。③手入れの行き届いた苗づくりの環境から気象変化の大きい畑に定植するため、1週間前から十分に光を当て、外気に馴らして丈夫な苗に仕上げましょう。

【よい苗とは】

①茎はまっすぐに太く、②節間が詰まっていて、③葉に厚みがあり、色が濃く、④子葉がついて、⑤病害虫のないものです。

【2次育苗をする】

　購入苗は育苗コストからポットが小さいことが多いようです。その場合は、1回り大きいポットに植え替え、遅霜の心配のない気温が上がるまで、植え付けを待ちましょう。トマト、ナスは1番花が咲く頃、キュウリは本葉が4〜5枚になるまで育てて、植え付けるとよいでしょう。

（神奈川県種苗協同組合　成松　次郎）

その2
地酒の味を決める三大要素　水・米・麹

全国地酒探訪

　亜寒帯に属する北海道・東北から、亜熱帯の南西諸島まで。日本の気候の幅広さが、バラエティ豊かな地酒を生み出しました。

　では、酒の味を決める要素はと言えば、水・米・麹であり、中でも水質は、地酒の味わいを左右するといって過言でないでしょう。

　酒造りには大量の水が欠かせません。米の洗浄はもちろん、醸造の際に米・麹とともに加えられる「仕込み水」と言われる水は、米の総重量の1.3倍もの量が使われるからで、それゆえ水質は、酒の質を大きく左右します。

　たとえば硬水と軟水の違いは、辛口と甘口の違いを生みだします。前者はカルシウムやリンなど、米の糖分をアルコールに変える酵母の働きを促すミネラルを多く含みますから発酵が進み、がっちりとした辛口に仕上がり、一方、後者はミネラルが少ないため発酵が遅く、ほのかな甘味を感じさせる、まろやかな

味わいとなるのです。

　米も欠かせない要素です。コシヒカリなど、〝食べて美味しい〟米が最適と言うわけではなく、粒が大きく（アルコールの原料となるでんぷん質の含有量が多く）、吸水性に優れた、糖化されやすい米が選ばれます。代表的酒造好適米として山田錦が有名ですが、新潟県が育成した「五百万石」や長野や秋田で作れる「美山錦」なども好まれます。

　米のでんぷん質を糖に変える麹も大切です。麹菌を米に付着させて、繁殖させる工程を、「製麹（せいきく）」といい、酒を醸す杜氏たちは製麹時の温度を30〜40度を保つべく、細心の注意を払います。麹は15度以下では働かなくなり、50度を超えると死滅してしまうからです。

（ライター・千羽　ひとみ）

2 月 1 日㊋	天気		行事
	気温	℃	

旧正月、テレビ放送記念日、新月

2 月 2 日㊌	天気		行事
	気温	℃	

国際航空再開の日、交番設置記念日、麩の日

郷土の料理「落花生みそ」

　栃木県では、身近な惣菜として作られていた常備食です。

　夏の終わり頃に堀りたて落花生をからごと茹でて食べる「茹で落花生」もおいしいものです。

　落花生味噌は、乾燥落花生を使い料理する代表的なものです。

　ごはんのおかずとして、酒のつまみとして食べても美味しいものです。

　最近では、農産物直売所や道の駅の惣菜コーナーで見かけます。それだけ地味な見かけです

が、根強い支持がある料理なのではないでしょうか。

【材料：出来上がり 600g】

落花生（生）：300ｇ

揚げ油：適量

砂糖：200ｇ

味噌：100ｇ

みりん：大さじ 2

水：40㎖

2 月 3 日㊍	天気		行事	
	気温	℃		

節分、豆まき、恵方巻き

2 月 4 日㊎	天気		行事	
	気温	℃		

立春

【下準備】
　落花生は、殻をむいておく。
【作り方】
①鍋に砂糖、味噌、みりん、水を入れてよく溶く。
②①を火にかけて、鍋のまわりがプツプツしてきたら、30秒から1分くらいで火を止める。
③別鍋に落花生がかぶるくらいの油を熱し、やや低めの温度（170度位）で、4～5分落花生を揚げる。

④揚げた落花生を手早く②の鍋に入れよく混ぜ合わせ、少し火にかけ味噌をからめる。
【留意点】
　練りすぎると味噌が固くなるので、少しやわらかめのところで火を止める

参考資料:栃木県農業者懇談会発行
「子や孫に伝えたい郷土の料理とちぎ」
　　　　（栃木県農業者懇談会　関亦　初枝）

2 月 5 日㊏	天気		行事
	気温　　　℃		

---

2 月 6 日㊐	天気		行事
	気温　　　℃		

海苔の日

わかめ

塗り箸をすべる若布も春の色　　　田向　秀史

　採取したばかりの新わかめは格別の風味がある。すっきりとした緑色もさわやかな春をプレゼントしてくれる。わかめは、若布や稚海藻などと表記されるが、これは新葉を採集したことによるといわれる。

灰干しの鳴門わかめの彩も食う　　　横山　健治

　灰干しわかめは鳴門の特産。飛鳥時代からわかめは貢納物として知られているが、徳島県の鳴門、山口県の角島のわかめの評価が高かった

という。奈良時代の木簡によれば、北は常陸、上総から南は筑前、隠岐、対馬などが確認されている。貢納品は干しわかめだけでなく水洗い、塩洗いなど用途別のもある。

わかめ干す顔いきいきと浜の主婦　　　高橋孝司
来年はここを離れるわかめ干す　　　若松　誠

　漁業者を巡る情勢は昔も今も厳しい。
　島根県出雲市の日御碕神社では、毎年、旧暦の１月５日にわかめを神前に供える神事がある。地元では、この神事が終わってわかめが解

2 月 7 日㈪	天気	行事	
	気温 ℃		

北方領土の日

2 月 8 日㈫	天気	行事	
	気温 ℃		

こと始め、針供養、上弦の月

禁になるという。

妻逝って今日から若布ひとつまみ　北川幹雄

　味噌汁用のわかめだろうか。干しわかめを湯で戻して汁に入れるが、ひとつまみは親指と人指し指でつまむ程度だろう。独り善の寂しさが、ひとつまみに浮き上がってくる。

潮騒へ網引きの唄若布干す　　　若林　健蔵

　"角島の迫門の稚海藻は人の共荒かりしかど吾とは和海藻" とは万葉集の一首、解説は『瀬戸は波が荒く、このような磯のワカメは採集に苦労する。そんなワカメを海乙女にたとえて、角島のワカメは人になびかないが、わたしにとっては、ニギメのように和やかになびいてくれる』。わかめはニギメとも呼ばれていた。

戻されてほっとしている干しわかめ 神内スミ子

　袋に入ったままでおかれていたが、お役に立つ時がやってきた。わかめの感慨。

（NHK学園　川柳講師　橋爪まさのり）

2 月 9 日㊌	天気		行事	
	気温	℃		

河豚の日、服の日

2 月 10 日㊍	天気		行事	
	気温	℃		

初午、ニットの日、ふとんの日

福岡のお酒　～福岡の食を支える日本酒・焼酎～

　多彩な食材の宝庫である福岡県は、日本有数の酒どころでもあります。古くから酒造りが盛んで、現在も68の蔵元で日本酒や焼酎が造られています。

　日本酒の生産が盛んな理由として、西日本有数の米どころであることが挙げられます。酒造好適米の代表格である「山田錦」の生産量は全国４位（令和元年産）であり、県育成のオリジナル酒米「夢一献」の生産も盛んです。さらに、九州最大の河川である筑後川などの一級河川が

流れており、豊かな水に恵まれていることも酒造りが盛んな理由の１つです。

　また、生産が盛んというだけではありません。世界最大規模の品評会「インターナショナルワインチャレンジ2013」の日本酒部門において、県産酒が最優秀賞「チャンピオンSAKE」に選ばれるなど、品質の高さも福岡の日本酒の特徴です。

　一方、福岡県では焼酎の歴史も古く、江戸時代から清酒粕を利用した粕取焼酎が造られてい

－ 34 －

2 月 11 日 金	天気		行事
	気温　　　　℃		

▐◉ 建国記念の日

2 月 12 日 土	天気		行事
	気温　　　　℃		

レトルトカレーの日

ました。その後、米麹による米焼酎から、徐々に麦麹による麦焼酎に移行していきました。

　原料となる大麦の生産量が全国3位（令和2年産）を誇ることから、現在では県産麦を使用した焼酎も多く作られています。ほかにも、八女茶など地域に根差した原料を使用した多彩な焼酎が造られています。

　福岡の日本酒や焼酎は、「福岡のおいしい食を支える」という熱い想いを持つ蔵人たちにより造られています。「福岡の食」をより美味し

く楽しむことができる福岡のお酒を、これからもよろしくお願いします。

（福岡県農林水産部）

2 月13日 ㊐	天気	行事
	気温 ℃	

2 月14日 ㊊	天気	行事
	気温 ℃	

一度は行ってみたい、全国秘湯めぐり②

温泉通が太鼓判を押す７つの秘湯めぐり
バラエティ豊かな原泉が集う「乳頭温泉」

　「乳頭山」と呼ばれる山の名は、秋田側の呼び方で、岩手側では「烏帽子岳」と呼ばれています。そして、十和田・八幡平国立公園と乳頭山麓に点在する７湯の総称を「乳頭温泉郷」といいます。温泉郷の歴史は古く、かつては秋田藩お抱えの湯治場として栄えたのだとか。乳頭温泉郷では旅館ごとにそれぞれ別々の源泉を持

つため、その泉質は多種多様で、10種類以上の源泉が存在します。

　つまり、乳頭温泉は異なる泉質が集まったバラエティ豊かな温泉郷というわけで、温泉好きの間では名湯の定評があります。

　乳頭温泉郷自体は秘湯のムードが漂う静かな湯の里で、近代的なホテル様式の宿は「休暇村 乳頭温泉郷」だけです。

　休暇村では乳頭温泉郷内の７湯をすべて巡ることの出来る「湯めぐり帖」を販売しています

2 月 15 日 (火)	天気		行事
	気温	℃	

2 月 16 日 (水)	天気		行事
	気温	℃	

が、せっかく来たなら湯めぐりを楽しむのが王道でしょう。

「7湯すべて巡れば万病に効く」というのがここの謳い文句で、その効果に惹かれを何度もこの地を訪れる人が多いといいます。

乳頭温泉郷の特徴は、なにより泉質によってそれぞれ効能が異なることです。

鶴の湯や黒湯温泉は高血圧や動脈硬化などに効果のある硫黄泉や硫化水素泉、妙乃湯はカルシウム・マグネシウム硫酸塩泉、蟹場温泉は糖尿病にいい重曹炭酸水素泉、孫六温泉は胃腸病や皮膚病に効果があるラジウム泉というように、原泉ごとに効能が違うので、7湯を巡れば万病に効くという説も説得力があります。

湯めぐり帖があれば7軒の温泉施設で日帰り入浴ができ、「湯めぐり号」というバスも利用できるので、移動も楽々。

乳頭温泉の魅力がまるごと楽しめます。

2 月 17 日㊍	天気	行事
	気温　　　℃	

アレルギー週間（23日まで）、満月

2 月 18 日㊎	天気	行事
	気温　　　℃	

「わけぎあえ」～春先からの旬の味～

昔から農家は、季節の野菜としてワケギを作り、春先からのあえものとして旬の味を楽しみました。ワケギは、ひな節句のころが最もおいしく、まて貝やたこ、あさりなどをあえました。あえ衣は年末に雑煮用に作った塩分濃度の低い甘い白味噌を大切に用いました。

【材料】 4人分
- ワケギ　　　1束（180 g）
- ゆでたこ　　150 g
- 塩　　　　　少々
- 辛子酢味噌
　　白味噌　　　60 g
　　練り辛子　　小さじ1／4
　　酢　　　　　大さじ2～3
　　砂糖　　　　30 g

- 38 -

2 月 19 日㊏	天気	行事
	気温　　　℃	

雨水、ひな人形飾り付けの日

2 月 20 日㊐	天気	行事
	気温　　　℃	

旧二十日正月、旅券の日、歌舞伎の日

【作り方】
①ワケギは洗って、白い根元の方と青い方に分け、どちらも3cmくらいの長さに切っておく。
②沸騰した湯に白い根元の方を入れ、次に青い方を入れてゆで、ざるに取って広げて冷ます。

③ゆでだこは一口大に切る。
④すり鉢に白味噌、練り辛子、酢、砂糖を入れてよくすり混ぜ、ワケギとたこを入れてあえる。

※③で生だこ、まて貝を用いる場合
　「生だこ」：塩で揉み、ぬめりをよく取り、熱湯に塩を入れてさっとゆでる。
　「まて貝」：薄い塩水でぬめりや砂を取り除き、鍋でからいりして酒をふる。

（香川県農業協同組合）

2 月21日㈪	天気	行事
	気温　　　　℃	

日刊新聞創刊の日

2 月22日㈫	天気	行事
	気温　　　　℃	

世界友情の日、猫の日

食肉の「おいしさ」の経時変化

　食品を食べた時に感じられる食感、味、においから、ヒトは「おいしさ」を判断しています。一方で、食感、味、においの感じ方は食べている間に変化していくため、食品の「おいしさ」をより深く理解するには経時的な分析が必要と考えられます。近年、コンピューターの進歩によって、感覚の経時変化を解析できるようになってきました。

　そこで、食肉を食べ始めてから食べ終えるまでの間に、ヒトの注目を最も引き付ける感覚はどのように変化していくのかを解析しました。

　様々な牛肉や豚肉を調べたところ、食べ始めには「食感」が特に注目を引き付けること、また、食べ始めから10秒ぐらい経過して咀嚼が進んでいくと「味」や「におい」に注目が移っていくことがわかりました。また、食肉を食べている間には、「かみ切りやすい・変形しやすい」「かみ切りにくい・変形しにくい」「パサパサ」「うま味」「ジューシー」「脂肪の口溶け」「なめらか」「酸味」「けものくさい」「甘味」「バター

－ 40 －

2 月23日㊌	天気	行事
	気温　　　　℃	

◉ 天皇誕生日　　　　　　　　　　　　　　　　　　　　　　税理士記念日、ふろしきの日

2 月24日㊍	天気	行事
	気温　　　　℃	

下弦の月

臭」といった、実に様々な感覚要素が注目を引き付けることが明らかとなり、食肉の官能特性が非常に複雑であることがわかりました。また、動物の品種や給与飼料、食肉の調理方法によっても、食べている間に感じられる感覚に違いがあることがわかりました。

　様々な農畜産物について食べてわかる違いに基づいた差別化、高付加価値化技術が開発されていますが、これらに感覚の経時的な情報を結びつけることで、「おいしさ」をよりわかりやすく伝えることができると考えています。

（農研機構 畜産研究部門　渡邊 源哉）

2 月25日㈮	天気	行事
	気温 ℃	

2 月26日㈯	天気	行事
	気温 ℃	

二・二六事件の日

大和伝承の生薬「ヤマトトウキ」

　ヤマトトウキと呼ばれる薬用作物はご存じでしょうか。奈良県は、古くから薬用作物の栽培の歴史があり、特に宇陀市や五條市はその栽培が盛んな地域として発展しました。

　トウキとはセリ科シシウド属の多年草で、その根は乾燥、湯揉みなどを経て「当帰」と呼ばれる生薬となります。大和地方を中心に産地が形成されるヤマトトウキは、播種から根の収穫までに約2年を要しますが、その品質は高いことで知られていました。

　しかし、生産者の高齢化や外国産の市場流入に伴い、生産量は衰退の一途を辿っていました。一方で、近年は国民の健康意識の向上から、漢方薬の需要が高まっており、再び注目を集めています。生薬として用いられる根には、冷え性、血行障害、強壮、鎮痛などに効果があるとされ、最近の研究では認知機能改善なども期待されています。

　平成24年より、トウキ葉が「非医」扱いとなったため、食用として利用可能となり、その香

2 月 27 日 ⊕	天気	行事
	気温　　　　℃	

2 月 28 日 ㊊	天気	行事
	気温　　　　℃	

ビスケットの日

りを生かした料理や加工品への活用が進められ
ています。
　奈良県では「漢方のメッカ推進プロジェク
ト」と表して、生薬の生産振興から漢方販売促
進に至るまでのプロジェクトを推進していま
す。中でもヤマトトウキは重点作物として位置
づけられ、葉を活用した商品開発などに力を入
れています。これまでに、乾燥葉を利用したお
茶、ハーブソルト、葉の粉末を練り込んだお菓
子等が開発されており、オンラインストアや百
貨店等で販売されています。
　かつて盛んであったヤマトトウキの再興に向
けて、これからの取り組みにも注目していただ
きたいと思います。

（奈良県 食と農の振興部
　　　　豊かな食と農の振興課）

ボードゲームが老若男女に大人気

　最近、ボードゲームが注目されています。

　ボードゲームとは、専用のボード上で駒を置いたり、動かしたり、取り除いたりして遊ぶゲームの総称。本来の意味は幅広く、ボード（盤）上で駒や札を動かすなどして競う遊技の総称で将棋、チェス、碁、オセロゲームをはじめ、双六なども含まれます。

　ただ最近話題とされているのは、アメリカ生まれの「モノポリー」、フランス生まれの「リスク」、日本では1968年に発売された「人生ゲーム」のようなものです。ひところはテレビゲームの大ブームの陰に隠れていましたが、「ドミニオン」がアメリカでブームになった2008年以降、世界中で愛好家が増え、同時期に駆け引きや推理を楽しむ、通称「人狼」ゲームも国内で広まり、テレビなどでも話題になり、この頃からアナログなゲームを楽しむ人たちは着実に増えてきたといいます。

　デジタルゲーム全盛時代なのに、なぜサイコロを振り、カードをめくって遊ぶボードゲームに夢中になる人が増えているのでしょうか。アナログ派のシニアだけに人気と思いきや、実は、最近のボードゲーム人気をけん引するのは20〜30代の若い世代だとのこと。東京都内ではボードゲームカフェが100軒以上あるということです。

　ボードゲームは、複数のプレーヤーが盤を囲んで一緒に遊ぶ楽しさが再認識され、子供から大人まで幅広く人気を集めています。子供には社会性や人格をはぐくむうえで良好な効果があり、高齢者にはデジタルゲームにはない触れ合いがあることと認知症予防効果などが注目されています。

　ボードゲームにはまり、ゲームの自作に取り組むシニアも出てきているとこのこと。

　教育や介護にも使われだしたボードゲーム。このブームはさらに広がりそうです。

歩く時の姿勢について

　ウォーキングが健康に良いということは誰でも知っていることですが、ただやみくもに歩くのではなく、歩く時の姿勢に気を配ってみてはいかがでしょうか。トイレやスーパーマーケットのエレベータの鏡でふと自分の姿を見て、「ずいぶん老けてしまったなぁ」と実感したことはないでしょうか？私はよくあります。

　年を取るにつれて、残念ながら筋力は弱くなります。そのことにより姿勢が悪くなり、誰でも下を向いて歩くようになります。視線が下がると背中は丸くなり、周囲から見ると「あの人はずいぶん年をとっているなぁ」という印象を与えることになります

　さらに下を向いて歩いていると、足のつま先側に体重がかかるため、歩幅が狭くなって歩く速度が遅くなり、運動量が低下します。結果として体力の低下に結びつき、老化を進めることになります。

　体力を向上させて若々しい歩き方をキープするためには、意識をして視線を上げ、いつもより少し遠くを見ながら歩くようにしてみましょう。

　そうすることで、体重はかかとの方にかかり、自然と大股で歩けるようになります。そして、同時に歩くスピードもアップすることになるでしょう。

　体の姿勢に意識的になると、視線も上向きになり、日常の視野も変化して、目に入ってくる景色も新鮮なものに映ります。視覚的な刺激は脳の働きを活性化させ、また視力の低下防止にも効果があります。。姿勢を正しくすることで肩こりや腰痛も予防できるので、老化予防も期待できます。何より、背筋を伸ばしてさっそうと歩いている姿は、周囲の人に若々しい印象を与えることになるでしょう。

参考図書「あなたの健康常識は間違っているやってはいけない」㈱アントレックス

3月
March

だるま市
（深大寺）

３月の花き・園芸作業等

花　き

　草花苗の花壇への定植。グラジオラス、カンナ、アマリリス、ダリアなど春植え球根の花壇や鉢への植付け。花壇の霜よけの取り外し。クレマチス、キキョウ、フロックス、ホトトギスなど宿根草の追肥と株分け。スイレンの植替え。ウメの花後の剪定。落葉樹の挿し木。

野　菜

　普通栽培の果菜類の苗床播種。カボチャ、スイカ、トウガン、キャベツ、菜類、ネギ、豆類、ゴボウ、ダイコン、ニンジン、セルリ、春まきハクサイの播種。トマト、ネギ、カボチャの移植。キャベツ、トンネルハクサイの定植。ショウガの催芽、土入れ。ハスの定植。菜類、ゴボウ、ニンジンの収穫。

果　樹

　ミカン、ビワの剪定施肥。ビワの摘果袋かけ。ウメ、モモ、ナシ、カキ、リンゴ、ビワの接ぎ木。ミカン類の施肥。除コモ。ブドウ、ナシの誘引。ミカン類貯蔵庫の管理。落葉果樹の薬剤散布。

●節気・行事●

ひなまつり	3日
啓　　蟄	5日
社　　日	16日
彼 岸 入 り	18日
春 分 の 日	21日
彼 岸 明 け	24日

●月　　相●

○満	月	18日
●新	月	3日

3月 暦と行事予定表

	節 気 ・ 行 事	予　　定
1 ㊋	春の全国火災予防運動（7日まで） デコポンの日	
2 ㊌		
3 ㊍	**ひな祭り**、耳の日、桃の日、新月	
4 ㊎	二日灸、ミシンの日、バウムクーヘンの日	
5 ㊏	**啓蟄**、珊瑚の日	
6 ㊐	スポーツ新聞創刊の日	
7 ㊊	消防記念日、メンチカツの日	
8 ㊋	国際婦人デー、さやえんどうの日、庚申	
9 ㊌	記念切手の日、雑穀の日	
10 ㊍	農山漁村婦人の日、旧こと始め、旧針供養 上弦の月	
11 ㊎		
12 ㊏	甲子	
13 ㊐	新撰組の日	
14 ㊊	ホワイトデー、さーたあんだぎーの日	
15 ㊋	靴の日	
16 ㊌	国立公園の日、財務の日、社日	
17 ㊍	己巳	
18 ㊎	**彼岸入り**、点字ブロックの日、満月	
19 ㊏	ミュージックの日	
20 ㊐	上野動物園開園記念日、旧針供養、旧こと始め	
21 ㊊	**春分の日**、春分、彼岸中日	
22 ㊋	NHK放送記念日	
23 ㊌	世界気象デー	
24 ㊍	**彼岸明け**	
25 ㊎	電気記念日、下弦の月	
26 ㊏	天赦日	
27 ㊐	さくらの日	
28 ㊊		
29 ㊋	作業服の日	
30 ㊌		
31 ㊍	教育基本法・学校教育法公布記念日、年度末	

3月の野菜づくり

マメ類を育てる

マメ類はタンパク質、炭水化物が多く、さらには脂肪を含むものもあり、重要な食料として各地で古くから栽培されてきました。

野菜として利用されるマメ類には、未熟なサヤを利用するエンドウ、インゲンマメ、ササゲ、フジマメなどがあり、完熟に至らない若い未熟種子を利用するソラマメ、エンドウ、エダマメなどがあります。

【根粒菌と共生】

マメ科野菜の根には、根粒菌が共生し、空気中のチッソを植物に供給するため、チッソの少ない土壌で生育できます。言い換えれば、チッソ肥料が多すぎると、「木ぼけ」し、実の付きが悪くなってしまいます。ただし、インゲンマメは根粒菌が付きにくいので、他の野菜並にチッソ肥料を与える必要があります。また、これまでマメ科を栽培していない畑や造成地では、根粒菌が少ないため、はじめてマメ科を栽培する畑ではチッソ肥料が必要です。

【自家受精する】

マメ科の花は蝶形の花冠で、竜骨弁という花弁内に、雄しべと雌しべが内蔵しています。この形状から、ミツバチなどの花粉媒介昆虫や風の助けをほとんど必要とせずに、受粉が完了します。しかし、多数の花が咲く割には、実際にさやまで生育する割合は20～30％で、多くは落花や落莢してしまいます。

【鳥害に注意】

種子は大きく、タンパク質を多く含むので、ダイズは「畑の肉」といわれ、栄養が豊富です。鳥にとっても美味しいのか、ハトが芽生えを食べたり、カラスに引き抜かれる被害があるため、直まきでは本葉が開くまでは不織布などで覆うことが必要です。

(神奈川県種苗協同組合　成松　次郎)

全国地酒探訪

その3
知っておきたい日本酒の4つのタイプ

当欄ではこれから全国を8地区に分け、それぞれの地区が生み出す地酒の特徴を紹介していきますが、ひとくちに地酒と言っても4万あるとも、5万あるとも言われています。

これほどの数の中から、好みの1本を見つけるためには、どうしたらいいでしょうか？

目安となるのが、日本酒サービス研究会・酒匠研究会連合会が考案した分類、すなわち、「薫酒」「爽酒」「醇酒」「熟酒」という味わい別の4分類です。

これは日本酒を味と香りで、「華やかな香りの薫酒」「軽やかな味わいの爽酒」「コクが特徴の醇酒」「複雑なコクと濃厚な味わいを合わせ持つ熟酒」の4つに分けたもの。

好みの1本を見つける目安となりますが、アテや料理との相性を知る、とてもいい指針ともなります。

たとえば、香りのいい薫酒は、食前酒のほか、魚介料理など素材の味わいを生かした料理によく合います。和食ならアサリの酒蒸し、洋食ならラタトゥイユ、中華なら棒々鶏など。

万能選手と言えるのが、爽やかな香りと軽快な味わいが特徴の爽酒です。和食を始め、幅広いアテや料理とマッチします。

醇酒は食中酒にぴったり。クリームやバターを使った料理のほか、和なら焼き鳥（タレ）、洋ならハンバーグ、中華ならギョーザなどにもおすすめです。

料理を選ぶのが熟酒です。豚の角煮やビーフシチュー、甘酢料理など、強い味つけの料理や、スパイスの利いた料理に最適。

季節別では、果実のような味わいの薫酒は春から初夏、暑い季節の冷酒には爽酒、醇酒と熟酒は秋から冬期の食中酒におすすめです。

(ライター・千羽　ひとみ)

3 月 1 日㊋	天気		行事
	気温	℃	

春の全国火災予防運動（7日まで）、デコポンの日

3 月 2 日㊌	天気		行事
	気温	℃	

ササの開花に関する豆知識

　毎年、春の終わりから初夏にかけて「ササの花」が話題になります。これは、ササは60年あるいは120年の間隔で開花する、と言われるくらい珍しい現象であるとされているからでしょう。では、なぜ珍しい現象であるはずの「ササの花」が毎年話題になるのでしょうか。実は、小規模なササの開花は地域、ササの種類を問わず、毎年どこかで起きていて珍しいことではありません。イネ科に属しているササの花は稲穂によく似て地味なせいか、花が咲いていても気

付かれないことも多いです。しかし、注意して見てみると、ポツポツとではありますが花を見つけることは結構できます。このような開花の仕方は「小規模単独開花」と呼ばれています。

　一方、ササはたくさんの個体が同じ時期に広い範囲で開花することがあります。これがいわゆる〝一斉開花〟で「広域同調開花」と呼ばれる珍しい現象なのです。江戸時代、明治時代、昭和初期にかけての山里では、一斉に実ったササの実を収穫し、飢饉など非常時のための食料

3 月 3 日㈭	天気		行事	
	気温	℃		

ひな祭り、耳の日、桃の日、新月

3 月 4 日㈮	天気		行事	
	気温	℃		

二日灸、ミシンの日、バウムクーヘンの日

として保存していました。実を収穫した場所や収穫量を記録した文書は、北は北海道から南は九州まで日本各地に残されています。中には米に匹敵するほどのササの実が収穫されたことが記録されている文書もあることから、とても広い範囲で同調開花が生じたことで多くの収穫量を得ることができたと考えることができます。

では、広域同調開花の間隔は一体何年なのでしょう。古文書を調べてみると、ササの種類、あるいは同じササの種類でも地域によって広域同調開花が生じた年代は異なりますが、間隔はどうやら120年になりそうです。人生100年時代とも言われる現在、広域同調開花の間隔が60年なら自分の目で確かめられそうですが、120年ならちょっと無理そうです。残念。

（森林研究・整備機構
　　森林総合研究所 関西支所　岡本　透）

3 月 5 日㊏	天気		行事	
	気温	℃		

啓蟄、珊瑚の日

3 月 6 日🌑	天気		行事	
	気温	℃		

スポーツ新聞創刊の日

米農家が製造販売の「ふうれん大福」稲作北限の生き残りで作られた絶品

　北海道名寄市に米生産農家が自ら生産したもち米を加工製造し、販売する「ふうれん大福」があります。良質の原料から作られる大福は粘りがあるのに柔らかで、しっとりなめらかな風味が人気を博しています。

　名寄市は北海道北部に位置し、かつてはうるち米を栽培していましたが、稲作の北限といわれる気象条件下にあり、厳しい減反も余儀なくされてきました。このため、生き残りをかけて冷害に強く品質に劣らないもち米に着目し、昭和40年代に生産組合を立ち上げ、昭和50年代にはすべての水田をもち米に切り替える団地化を進め、全道・全国最大のもち米生産地になりました。

　その後、何とか付加価値を付けたいという思いから7戸の米専業農家が餅づくりに挑戦。平成6年には「株式会社もち米の里ふうれん特産館」を設立し、臼と杵でつくなど、独自製法で切り餅や丸め餅、大福餅などの製品づくりと販売をはじめました。

3 月 7 日㊊	天気		行事	
	気温　　　　℃			

消防記念日、メンチカツの日

3 月 8 日㊋	天気		行事	
	気温　　　　℃			

国際婦人デー、さやえんどうの日、庚申

　　主力商品のソフト大福には塩豆、よもぎ、かぼちゃ、ごまなど全18種類がありますが、餡と餅の色を合わせるために、それぞれの素材のほか、天然素材から作られた色素を練り込むなど、色も味も際立たせています。
　　商品は「株式会社もち米の里ふうれん特産館」のほか、北海道内のスーパー、またインターネットでも取り扱っています。ネット注文には冷凍発送ですが、冷蔵庫で冷やしても固くなりにくく、いつでも出来立ての味を楽しむこと

ができます。機会がありましたら、稲作北限のもち米生産農家が作っている「ふうれん大福」をご賞味ください。

（農林統計協会　賛助会員　三津田　裕二）

3 月 9 日㈬	天気		行事	
	気温	℃		

記念切手の日、雑穀の日

記念切手の日、雑穀の日

3 月 10 日㈭	天気		行事	
	気温	℃		

農山漁村婦人の日、旧針供養、旧こと始め、上弦の月

生物多様性を活用して農村を元気にする研究

　現在、農業・農村が育む生物多様性に注目が集まっています。世界的にもSDGsに代表される自然との共存が実現できる持続的な社会の構築が大きな流れになってきています。本報では、地域資源となり得る農業が育む生物多様性を適切に評価しながら、農業振興に役立てる方法を紹介します。

　農村には、水田、畑、樹園地、水路、ため池、草地、森林など多様な自然環境が形成されています。それぞれの環境には多くの生き物が生息

しており、農村は生物多様性の宝庫です。それらの生物多様性を適切に評価するには、生き物の種類に応じた専門的な調査が必要です。これには多大なコストと専門知識が必須です。しかし、専門的な調査・解析で得られた科学データを活用しながらその環境の生物多様性の高さと関連性のある生物種を数種類選んで指標種とします。その指標種の在・不在や数量で生物多様性の高さを簡便に評価する手法を農研機構は開発しました。「鳥類に優しい水田がわかる生物

3 月 11 日㊎	天気	行事	
	気温　　　　℃		

3 月 12 日㊏	天気	行事	
	気温　　　　℃		

財布の日、甲子

多様性の調査・評価マニュアル」としてHPで公開しています。マニュアル名を検索して誰でも利用可能です。分かり易さと簡便性を高め、農業者や営農団体自らが調査できることを目的としました。これにより、農村が育む生物多様性を簡便に評価することができ、生物多様性視点での農産物の高付加価値化や地域そのもののブランド化への活用に期待できます。

生物多様性の評価調査マニュアル

（農研機構 西日本農業研究センター

楠本　良延）

3 月13日㊐	天気	行事
	気温　　　℃	

新撰組の日

3 月14日㊊	天気	行事
	気温　　　℃	

ホワイトデー、さーたあんだぎーの日

アシタバ（明日葉）

アシタバは、暖かな房総半島から伊豆諸島、伊豆半島等の太平洋側に自生する日本原産のセリ科の常緑多年草です。「今日摘んでも明日には芽を出す」と言われるように生命力に富む植物です。

葉は手のひらのようで、ふちはギザギザしています。茎はしっかりと太くなり、高さは1メートル程度に達します。

伊豆諸島では自生していますが、健康野菜として食用に栽培されています。秋頃に種を播き春頃に植えつけ、翌春から収穫ができますが、春と秋が大きな収穫時期となります。

野菜としては、葉や茎を食べますが、主に若い葉を摘み食用にします。やや特徴のある味わいですが、これはポリフェノールであるカルコン類などが含まれているためです。この成分は、様々な機能性が発見され注目されています。

そのため、様々な加工品にも利用され、各種製品として流通しています。

乾燥粉末や青汁、お茶などに加工され、粉末

3 月 15 日 (火)	天気		行事	
	気温	℃		

靴の日

3 月 16 日 (水)	天気		行事	
	気温	℃		

社日、国立公園の日、財務の日

のアシタバを練り込んだうどんやそばもあります。

また、菓子類にも利用され、クッキーやゼリーなど幅広く利用されています。

野菜としては生食ではなく、おひたしや和え物、天ぷらに調理され、食べられています。

苦みとおいしさのバランスは、一度食べてみるとやみつきになる味わいのため、ファンになる方が多いと思います。

加工品としての流通量のほうが多いですが、野菜としてもおすすめです。

野菜としての東京産のアシタバを見つけた際には、ぜひご賞味ください。

（東京都産業労働局　農林水産部

上原　由史）

3 月17日㊍	天気		行事
	気温	℃	

己巳

3 月18日㊎	天気		行事
	気温	℃	

彼岸入り、点字ブロックの日、満月

一度は行ってみたい、全国秘湯めぐり③

日本海の海岸線沿いに続く静かな温泉街
亀が見つけたという伝説の名湯「湯野浜温泉」

　湯野浜温泉の昔の名前は「亀の湯」といい、江戸時代の言い伝えが元になっています。
　「地元の漁師が浜辺で傷ついた１匹の亀を見つけて、ふとその足元を見ると、そこからお湯がこんこんと湧き出ていた」という話が亀の湯の由来で、昔から効能豊かな癒しのお湯として、地元の人たちに親しまれてきました。

　庄内地方には湯野浜温泉のほかにも２つの温泉地がありますが、あつみ温泉は鶴に、湯田川温泉は白鷺に原泉を教えられたという話が残っていて、いずれも動物がらみのエピソードだというのが興味深い点です。
　海沿いの風光明媚な環境が湯野浜温泉の大きな魅力ですが、湯野浜から見る夕陽の美しさには定評があります。
　その見事な夕景は「日本の夕陽百選」に選ばれたほど。温泉街から眺める夕陽は、きっと忘

3 月19日㊏	天気	行事
	気温　　　　℃	

ミュージックの日

3 月20日㊐	天気	行事
	気温　　　　℃	

上野動物園開園記念日

れられない思い出になるでしょう。
　気取りのない温泉のイメージ通りに、湯野浜温泉の温泉施設はどこも親しみやすい雰囲気。下区公衆浴場のある湯野浜コミュニティセンター、通称「コスパ」には人気の足湯と飲泉所があり、いつも大勢の来客で賑わっています。特にバリアフリー設計の足湯はシニア層も気軽にくつろげる場として、遠方からのお客様にも喜ばれているそうです。
　温泉街には立ち寄り湯のサービスを提供する

旅館も多いので、ぶらりと湯めぐりの散策に出かけてみてはいかがでしょう。
　温泉の泉質は、ナトリウム・カルシウム-塩化物温泉。効用は胃腸病や神経痛、切り傷や慢性皮膚病、火傷などです。
　また、4月下旬から11月上旬までの早朝には、海産物や野菜など、新鮮な庄内の味に出会える「朝市」も開催されていますので、ぜひお楽しみください。

| 3 月21日㊊ | 天気 | 行事 |
| | 気温　　　℃ | |

●春分の日　　　　　　　　　　　　　　　　　　　　　　　　　　　　　　　　　　　　　　　春分、彼岸中日

| 3 月22日㊋ | 天気 | 行事 |
| | 気温　　　℃ | |

NHK 放送記念日

タラのかぶら蒸し～切り身使いカブで彩り～

　雪が舞う頃のタラは、文字通り脂が乗って美味しい。なべ物、揚げ物等々「鱈腹（たらふく）食べる」という言葉は、何でも食べるタラの食性に由来するらしいが、一方では、この時期のタラを鱈腹食べたいという人間の欲望も込められているのでしょうか？

　今回は店頭に並び、値段も手頃なタラの切り身を使って、タラのかぶら蒸しを紹介します。

　冬の特産・津田カブと白カブで彩りを添えてみました。

是非一度、島根のタラをご賞味下さい。

【材料】
　真タラの切り身、赤カブ、白カブ、昆布、卵の白身、塩少々

【作り方】
①タラの切り身に軽く塩をまぶし、10cm幅に切る。
②皿の上に昆布を敷き、タラの切り身とスライ

3 月23日㈬	天気		行事	
	気温	℃		

3 月24日㈭	天気		行事	
	気温	℃		

彼岸明け

　　スした赤カブ、白カブを並べるようにのせる。
③②におちょこ1杯分の日本酒を振りかける。
④準備が整ったら蒸す。
⑤白カブをすり下ろして絞り、メレンゲに混ぜ
　る。塩少々で味付けをする。
⑥蒸し上がった④の上に⑤をかけて出来上が
　り。

【ワンポイントアドバイス】
　店頭の真タラの切り身の中には、塩をまぶし
てあるものが多い。その際は、①の薄塩を省略
します。

（島根県郷土料理研究家　橋本　勝正）

3 月 25 日 ㊎	天気	行事
	気温　　　　℃	

電気記念日、下弦の月

3 月 26 日 ㊏	天気	行事
	気温　　　　℃	

天赦日

朧月

満月のお化粧ですか朧月　　　　田辺　忠雄

　大気がぼんやりと不透明な状態で、見えるもの全てがかすんでいる。昼の霞（かすみ）に対して夜の様子に「朧」が用いられる。春の水蒸気を含んだ暖かい南風の到来によって起こる現象とされる。

春はあけぼのなのだろうけど朧月　　三上博史

　平安時代、清少納言は「枕草子」に『春は曙がよい。だんだん白んでいく山陵の空が、少し明るみ、紫がかった雲が細くなびいている情景

がよい』と書いたが、川柳の作者は、曙よりも朧月がいいという。みなさんはどちらがいいと思いますか。

言い淀む光は問わない朧月　　　　橋本　祐子

　春の月には明るいものもあるが、曇りをおびた、いわゆる磨かぬ玉や古鏡にもたとえられる。いわゆる朧月だ。もやもやとした様子を言い淀んでいるようだとの見立てはユニークです。

老妻もすこしなまめく春おぼろ　　　白石　潔

　「おぼろ」には、朧月のような視覚的形容の

| 3 月27日🔵 | 天気 | | 行事 | |
| | 気温 ℃ | | | |

さくらの日

| 3 月28日㊊ | 天気 | | 行事 | |
| | 気温 ℃ | | | |

他に、鐘の音やせせらぎが柔らかく聞こえる、あるいは花や草の香が漂う等、聴覚的、嗅覚的な形容も使われる。晴れた明るい春の夜とは違った情感に包まれている。

子離れの夫婦で仰ぐ朧月　　　　大場　可公

「おぼろ」のもつ全てを包みこんだ歌がある。大正時代に生まれた「朧月夜」である。作詞・高野辰之、作曲・岡野貞一は国民的愛唱歌「故郷」を生んだコンビ。視覚、聴覚、嗅覚の全てを大和ことばで紡いだ歌詞は、気品がたか

く、優美さを感じさせる曲とあいまって文部省唱歌では情感あふれる逸品と評価されたといいます。

おぼろ月ひとの心も見えかくれ　　　滝井　竹郎

淡々とした朧月に人の心を重ねた。だが、春宵一刻値千金。花は盛りで月はおぼろな春の夜の一刻は千金にも価する。大切に過ごそう。

千金の花咲く宵のおぼろ月　　　　笹川　ヤエ

（NHK学園　川柳講師　橋爪まさのり）

3 月29日㊋	天気	行事
	気温　　　℃	

作業服の日

3 月30日㊌	天気	行事
	気温　　　℃	

「出荷量全国２位の八代生姜」農水省の地理的表示（GI）に登録

◇「八代生姜」は熊本県八代地域で栽培されています。

　熊本県の南部にあたる八代地域は、八代海に面した平地から山間までの地域で、多くの作物が栽培されています。

　八代地域では、大正末期より栽培されていますが、1970年の米の生産調整を機に作付けが拡大しました。

◇「八代生姜」は八代地域特有の疎植栽培と大きな種生姜により、根茎が１つ１つが大きく育ち、みずみずしく、辛みが少ない生姜が生産されています。

　10月下旬〜11月までに収穫し、適切な貯蔵により、色つやがよく、周年出荷されています。

　生姜には、代謝促進のショウガオールや免疫を向上させるジンゲロールが多く含まれており、料理や、漢方薬・健康食品に広く使われています

3 月31日㊍	天気	行事
	気温　　　℃	

教育基本法・学校教育法公布記念日、年度末

コラム

「バッテラ」の名前はどこから？

　関西寿司の代表に「バッテラ」があります。いま体に良いことで話題のサバを使った押しずしで、木箱に酢飯を詰め、その上に酢でしめたサバと薄く削いだ昆布を乗せて押したものです。このサバの押しずしを「バッテラ」と呼ぶようになったのには、次のような話があります。

　明治20年代にコノシロという魚を酢でしめて、ボートのような形にして店で出していた寿司屋がいたそうです。ボートをポルトガル語で「バッテラ」と言うため、客が「バッテラ２隻おくれ」などと注文するようになり、やがて「バッテラ」が呼び名になったということです。

　後にコノシロからサバに魚が変わり、形もボート形から細長い角形になりましたが、「バッテラ」という名前はそのまま残ったということです。

◇2020年３月には、全国94の産品が登録されている農林水産省の地理的表示（GI）保護制度に「八代生姜」として登録されました。

　熊本県では、他に「熊本県産い草」「熊本県産い草畳表」「くまもとあか牛」「八代特産晩白柚」等が登録されており、登録を機に産地の栽培意欲の拡大などの地域農業の活性化や売り上げの拡大、海外でのブランド化に期待が寄せられています。

（農林統計協会　熊本県賛助会員

椎葉　和男）

インターネット通販の功罪（その１）

　皆さんの中には、ネット通販を利用する方も多いと思います。

　今では、生鮮食料品から映画等娯楽まで手配できるので、便利な世の中になりました。

　タイトルに「功罪」と、書きましたが、これは編集子が最近、ネット通販の「功」と「罪」？的な経験をしたので、お話しするものです。

　先般、我が家の掃除機が壊れました。

　そこでメーカーのHPを見たところ、モデルチェンジの過渡期だったらしく、新製品の発売が約１か月後と。

　価格を見たら…、税込みで優に５万円を超えます。

　宣伝文句に曰く："今後の掃除機はデザイン性！そこで特別塗装（綾織）によって、眺める方向次第で「色違い」を楽しめる" と。

　「色違い」のために、５万円はもったいない。と言って、購入を躊躇う時間はありません。

　そこで、「年式落ちのモデル」はどうか、掃除機は日進月歩で進化する工業製品ではないは

ずと思いつきました。

　ネット通販サイトを物色したところ…、ありました。同じメーカーで１年前ながら性能／仕様は同じで新品です。価格は、なんと2.5万円！早速「購入ボタン」を押しました。

　街中の電器店では、こうはいくまいと一人悦に入っています。

　ネット通販は、種類や価格面で実売店舗を凌駕しつつあり、その勢いは留まるところを知りません。コロナ禍も一層の追い風になったやに聞いています。

　ただ、その利便性から、危うい点もいくつか指摘されています。次回は、この「罪」的な経験をお話しようと思います。

　＊追記：この約１年後、今度は実家の掃除機が壊れました。ネット通販では、先の５万円のモデルが2.4万円。もちろん、速攻で購入したことは言うまでもありません。

シャワーヘッドを変えてホテル気分

　最近よくテレビCMでシャワーヘッドが紹介されます。シャワーだけで女性の顔から油性ペンの文字がきれいに消えるのを見てびっくりして、つい「シャワーヘッドをすぐ変えよう」などと思ってしまう人が多いかもしれません。

　企業の連合団体・ファインバブル産業会のホームページを見ると、実は日本における気泡研究の歴史は長く、主に機械工学、原子力工学、化学工学などの分野で多くの研究者・技術者が参加して発展してきたようです。

　特に、1990年代以降からマイクロバブルやウルトラファインバブルについての基礎研究や多くの応用事例が報告され、日本がファインバブル技術の先進国となる礎を築いたとのことです。

　ファインバブル技術はその特性を生かし、さまざまな分野に応用されており、シャワーヘッド、浴槽、水栓等の消費者向けファインバブル製品が広く市場化され、CMに紹介されるような商品が出てきているわけです。

　取り付けも、工事もいらず簡単にできるのが長所です。その他の特長として、節水、洗浄、保湿、保温などが挙げられています。ある商品のホームページに書いてある記事から紹介します。

　シャワーヘッドを変えるだけで、一般的な泡の100分１以下の微細な泡を発生します。その微細なバブルが毛穴の奥の汚れまで吸着して体の汚れを除去します。保温効果は16％アップ、保湿効果は22％アップとのことです。節水効果は40％もあるとか。

　シャワーヘッドを変えるだけで様々な効果が得られるならお得な気がします。ただ、値段が高い、重くて持ちにくい、あまり効果がなかったなどの声も挙がっています。

　慎重に検討して、良いと思ったら試してみましょう。最近は１日500円からの「お試し」もあるようです。これなら買ってから「しまった」ということはないでしょう。

うなごうじ祭り（若葉祭）
（愛知県豊川市牛久保町）

4月 April

●節気・行事●

清	明	5日
花	まつり	8日
土	用	17日
穀	雨	20日
昭和の日		29日

●月　　相●

○満	月	17日
●新	月	1日

4月の花き・園芸作業等

花　　き

ペチュニア、キンギョソウ、マリーゴールド、ジニアなど春播き二年草の播種。カモマイル・ポリジなどのハーブ類の播種。キク、リンドウなど宿根草の挿し木。観葉植物の株分けと鉢替え。芝の植付けと追肥。ツバキなど常緑樹の接木。ユキヤナギなど春咲き花木の花後の剪定。

野　　菜

セルリ、パセリの冷床播種。春まき結球ハクサイ、早生ダイコン、ニンジン、ゴボウ、トウモロコシ、スイカ、インゲン、ササゲ、シュンギク、ホウレンソウ、葉ネギの播種。キュウリ、カボチャ、ナス、トマト、キャベツ、フジマメの移植。春まきキャベツの露地床移植。インゲン、トウガンの定植。春まきダイコン、菜類の追肥。ソラマメ、カボチャの摘芯。春まき菜類、軟化野菜類の収穫。

果　　樹

リンゴの元肥施用。ブドウ、モモの摘芽。ビワの摘果。リンゴ、ミカン類、クリの接ぎ木。ビワ、ミカン類、リンゴの定植。モモ、ナシ、スモモの受粉媒助。ナシ、ブドウ、カキの病害虫防除。果樹園の除草。

4月 暦と行事予定表

	節 気・行 事	予 定
1 ㈮	新学年、新財政年度、エイプリルフール、新月	
2 ㈯	週刊誌の日、CO_2削減の日	
3 ㈰		
4 ㈪	あんぱんの日	
5 ㈫	清明	
6 ㈬	春の全国交通安全運動（15日まで）	
7 ㈭	世界保健デー	
8 ㈮	花まつり、灌仏会	
9 ㈯	食と野菜ソムリエの日、上弦の月	
10 ㈰	女性の日、教科書の日	
11 ㈪	メートル法公布記念日	
12 ㈫	世界宇宙旅行の日	
13 ㈬	科学技術週間（19日まで）	
14 ㈭	椅子の日	
15 ㈮	ヘリコプターの日、みどりの月間(5月14日まで)	
16 ㈯		
17 ㈰	土用、なすびの日、満月	
18 ㈪	発明の日	
19 ㈫	地図の日	
20 ㈬	穀雨、郵便週間、郵政記念日	
21 ㈭	放送広告の日	
22 ㈮	アースデー	
23 ㈯	サンジョルディの日、世界本の日、下弦の月	
24 ㈰		
25 ㈪		
26 ㈫		
27 ㈬	国際盲導犬の日	
28 ㈭	サンフランシスコ講和条約発効日、庭の日	
29 ㈮	◉ 昭和の日、畳の日	
30 ㈯	図書館記念日	

スイカの立体栽培

スイカは果実が重く、簡易な支柱では支えることができませんが、小玉品種を選び、しっかりした支柱を作れば、狭い畑で立体的に栽培することができます。

【品種】

「紅しずく」（タキイ種苗）、「紅こだま」（ナント農園）など

【種まき】

4～5月上旬に12cmポットに2～3粒まき、発芽後に生育のよいものを1本残して間引き、本葉4～5枚の苗に育てます。

【土づくり】

1㎡当たり苦土石灰100gをまいてよく耕し、その後、深さ20cmの溝を掘り、この溝1m当たり堆肥1kgと化成肥料（NPK各成分10%）100gを施し、土を戻してよく混ぜておきます。

【植え付け】

株間60～80cmに植え付け、遅霜の恐れのあるときは、株ごとにポリフィルムでトンネル（ホットキャップなど）を作ります。

【支柱】

雨よけ支柱を60～90cm間隔にさしてアーチ状に立て、園芸用支柱では長さ2.4m程度のものを合掌状に組み立てます。これ全体に10cm角で太目の園芸用ネットを張ります。

【管理】

本葉5～6枚残して親づるを摘心します。子づるを4本伸ばし、左右均等に誘引しますが、他の子づるはかき取ります。16～18節を目安に、開花当日の早朝に雄花の花粉を雌花の柱頭に受粉し、着果させます。果実がこぶし大になったら、株の周りに化成肥料1株当たり30～40gを追肥し、土寄せします。小玉でも2～3kgとなるため、タマネギネットなどで果実を玉吊りします。

【収穫】

収穫適期は開花後40日程度で、①果実付近にある巻きひげが枯れている、②果実の肩に張りが出ている、③果実の尻がへこみ、指で押すと弾力を感じるなどで判断できます。

（神奈川県種苗協同組合　成松　次郎）

その4
知っておきたい日本酒の分類

先月は味わいと香りを軸に「薫酒」「爽酒」「醇酒」「熟酒」の4タイプに分類、好みの1本を見つける方法をお知らせしましたが、作り方による分類法もあります。それが、「大吟醸酒」「吟醸酒」「特別本醸造酒」「本醸造酒」「純米大吟醸酒」「純米吟醸酒」「特別純米酒」「純米酒」の8分類です。

日本酒は酒造米を原料に、雑味の原因とされる米の外側を削ったもので作られますが、その削った割合で分類したものがこの8分類。

ちなみに本醸造酒では70%以下、吟醸酒では50%以下に削る（精米する）とされ、各分類の前の「特別」という言葉は、それぞれの基準を目指した上で、精米歩合を60%以下にするか、または特別な製造方法をとったものにつけられます。

精米歩合が高いほど、すなわち削る分量が多くなればなるほど香りがよく、値段も高価に。品評会で大賞を取った銘柄の大吟醸酒と

もなれば、10万円以上するものもあります。

とはいえ、一般的には名酒と言われる地酒でも、720ml（4合）2,000円から2,500円程度で購入できますから、まずはこの価格帯の純米酒から試してみましょう。

ちなみに純米酒とは、醸造アルコールというサトウキビから作られる純度の高いアルコールを加えることなく、米と麹のみで醸した酒のこと。香りの主張が強い大吟醸酒よりも飲みやすいだけでなく、比較的安価で、もっとも米のうま味やコクを味わえる酒と言えます。

本欄では、来月から都道府県ごとにその地区が生み出す地酒の多彩な特徴を紹介していきます。

（ライター・千羽　ひとみ）

4 月 1 日㊎	天気		行事	
	気温	℃		

新学年、新財政年度、エイプリルフール、新月

---

4 月 2 日㊏	天気		行事	
	気温	℃		

週刊誌の日、CO_2 削減の日

100年の恵み　おおいた和牛

　幾度となく日本一に輝いてきた豊後牛の歴史が始まって100年目の節目（平成30年）に、新しい県産和牛ブランド「おおいた和牛」が誕生しました。

　豊後牛の歴史は古く、大正10年に東京で開催された畜産博覧会で種雄牛「千代山」号が1等賞に輝き、「牛は豊後が日本一」という幟を掲げ銀座をパレードしたとの記録が残っています。

　最近では平成29年に宮城県で開催された全国和牛能力共進会において、種牛の部で内閣総理大臣賞を受賞するなど、輝かしい成績を収めるとともに、その評価はますます高まっています。

　「おおいた和牛」は、品質の高いおおいた豊後牛（大分県内で最も長く肥育された黒毛和種の牛肉）の中でも美味しさにこだわった農場で、米やビール粕を給与して育てられた、肉質4等級以上のものだけを選んだ逸品です。

　「おおいた和牛」の特徴は、きめの細かい美しい霜降りをもった肉質で、風味も豊かでとろ

4 月 3 日 ㊐	天気	行事
	気温　　　　℃	

4 月 4 日 ㊊	天気	行事
	気温　　　　℃	

あんぱんの日

けるような柔らかさとまろやかな味わいを備え
ているところです。
　「おおいた和牛」は、行政、農業団体及び生産・
流通団体で構成する「大分県豊後牛流通促進対
策協議会」が認定する県内外の取扱店（小売店・
飲食店・ホテル旅館）でご賞味並びにご購入頂
くことができます。
　また、特に県外においては、「おおいた和牛」
の魅力を深く堪能できる店舗として県が認定す
る「サポーターショップ」を、関西を中心に拡

大しており、より多くの方に「おおいた和牛」
の魅力を知って頂きたいと思います。
　これまでの100年の恵みを糧に、これからの
100年も誇れる大分県産和牛として、「おおいた
和牛」は挑戦していきます。

（大分県農林水産部 畜産振興課
　　　　　　流通推進班　玉井　一彰）

4 月 5 日㊋	天気		行事	
	気温	℃		

清明

―――
―――
―――
―――
―――
―――
―――

4 月 6 日㊌	天気		行事	
	気温	℃		

春の全国交通安全運動（15日まで）

―――
―――
―――
―――
―――
―――
―――

一度は行ってみたい、全国秘湯めぐり④

歴史に刻まれた上杉謙信の隠し湯
貝掛温泉は、眼病に効く目薬の湯

　上信越高原国立公園の山中にある「貝掛温泉」は、全国的にも珍しい「目の温泉」。
　緑豊かな高原のロケーションと「目薬の湯」といわれる癒しのお湯に惹かれて、何度も訪れたくなるのが森の秘湯「貝掛温泉」です。
　標高800mの山中にある庄屋造の一軒宿が「奥湯沢貝掛温泉」で、古くから上杉謙信の隠し湯として知られてきました。
　その多彩な効能を求めてこの地を訪ねる人は今も多く、特に眼病に効能があることが広まると、白内障や緑内障といった目の病に悩む人が通う聖地になったといいます。
　実際、昭和初期までは「貝掛の目薬」が貝掛温泉で生産、販売されていて、その効果は常連さんのお墨付きだったそうです。このお湯で眼を洗うには少しコツがあって、露天風呂の湯口から湯をすくって眼を浸した後、1〜2分まぶ

4 月 7 日㊍	天気	行事
	気温　　　℃	

4 月 8 日㊎	天気	行事
	気温　　　℃	

花まつり、灌仏会

たの開け閉めを繰り返して、よくお湯を眼全体にいき渡らせるのです。

　こうして温かなお湯で目全体を温シップすることにより、眼精疲労やドライアイに効果があるというので、最近では若いサラリーマンの利用もぐんと増えているのだとか。

　目にいいといわれる理由の1つは、ホウ酸を含んだ源泉にあります。

　37度弱と、かなりぬるめのお湯のため、内湯と露天ともに源泉そのままのお湯と加温した熱いお湯の2種類が用意されていますから、お好みで湯温をチョイスするといいでしょう。ナトリウム・カルシウム塩化物温泉のお湯はサラリとしてやわらかく、じっくり温まると芯から疲れが抜けていくようです。

　庭に大きな石を組んで造られた露天風呂は、いつまでも入っていたいほどの心地よさ。

　野趣あふれる庭園を背景に、心ゆくまで秘湯気分を満喫できます。

4 月 9 日㊏	天気		行事
	気温　　　　℃		

食と野菜ソムリエの日、上弦の月

4 月 10 日㊐	天気		行事
	気温　　　　℃		

女性の日、教科書の日

イワシを使った郷土料理「ほうかむり」

　「ほうかむり」は、山口県下関市の北部に位置する豊浦町（とようら）の、響灘（ひびきなだ）（日本海）を臨む小串（おぐし）地域に伝わる郷土料理です。

　小串地域沿岸では、昭和30年頃まで大敷網漁が盛んに行われ、ウルメイワシの大漁が続くと、港にはイワシが入ったトロ箱が山積みにされました。そのたくさんのイワシを美味しく食べられるよう、漁師やその妻らが考え工夫した料理が、「ほうかむり」です。

　「ほうかむり」は、イワシのすり身を煮しめ昆布で巻き、かんぴょうを結んで、甘辛く煮込みます。できあがりが手ぬぐいで頬かぶりをした人の姿によく似ていることから、この名前がついたと云われ、今では、イワシの他にアジやカマスなど、季節の魚も使われます。

　ハレの日やお正月につくられ、各家庭で受け継がれ、親しまれている味です。

【材料】（4人分）
イワシ(ミンチ)：200ｇ、卵：1個、かんぴょ

| 4 月 11 日㊊ | 天気 | 行事 |
| | 気温　　　　℃ | |

メートル法公布記念日

| 4 月 12 日㊋ | 天気 | 行事 |
| | 気温　　　　℃ | |

世界宇宙旅行の日

う：50cm、煮しめ昆布：4枚（幅5～6cm×長さ12～13cm）、砂糖：大さじ2、酒：大さじ1、しょうゆ：大さじ3、塩：少々、片栗粉：少々

【作り方】
①昆布はぬれ布巾で拭き、しんなりさせておく。
②イワシに卵、塩、片栗粉を加え、すり鉢ですり、4等分にして丸める。
③①の中央に②を置いて二つ折りにし、昆布の端をかんぴょうで結んで巾着の形にする。

④鍋に砂糖、酒、塩、しょうゆ、水（1カップ）を煮立たせ、③を入れて火を弱め、1時間以上煮詰める。
⑤鍋から取り出し、縦半分に切る。

（山口県農林水産部　農林水産政策課
　　　　　　　　　　久行　美由紀）

4 月13日㊌	天気		行事
	気温	℃	

科学技術週間

4 月14日㊍	天気		行事
	気温	℃	

椅子の日

春眠

　「春眠」と聞くと、すぐに思い浮かべるのは「唐詩選」に収められた孟浩然の『春眠暁を覚えず』だ。暑くもなく寒くもない時節となった春の寝心地のよさだ。

春眠に邯鄲の夢まだ覚えず　　　岡　柳二

　「邯鄲の夢」とは、むかし廬生という男が邯鄲の街で不思議な枕を借りて寝たところ、夢では次第に立身出世し富貴をきわめた。だが目覚めてみると僅かな時間しかたっていなかった。人の世の栄枯盛衰のはかなさをあらわした中国

の故事による。

春眠の妻もあわてた水加減　　　久保田以兆

　心地よさに寝すぎてしまった。朝食の用意にあわてているのでしょう。水加減といえば炊飯用の気がするが、それにつけても春の眠りは心地好い。

ああ夫婦背中合せの春の夢　　　川妻またじ

　春眠には、どこかロマンチックで華やいだ感じがするが、あわあわとしたはかなさも匂わせる。背中合わせの夢に冷めた夫婦の姿を見る気

4 月15日㊎	天気		行事	
	気温	℃		

ヘリコプターの日、みどりの月間（5月14日まで）

4 月16日㊏	天気		行事	
	気温	℃		

にもなる。長く夫婦をやってきた姿かもしれない。

春眠は今年もおあずけです二浪　　堂本　悟
春眠のどうってことない定年後　渡辺　克也

　受験のねじり鉢巻の日々では春眠に浸ることはできない。一方、定年後の毎日が日曜日では春眠の心地好さなど感じなくなった。春眠暁を覚えずといっている人達は幸せなのかもしれない。

よい風が朝寝の部屋に満ちている　　大西修翠

　春眠の寝心地は格別で、熟睡してもなお寝床

に未練が残り、うつらうつらと仮眠の時をすごす。春眠は必ずしも夜の眠りに限らず、昼寝や宵寝にも用いられるという。

春眠にほどよく揺すってくれる海　石川寛水

　海上生活というよりは、漁労中の句であろう。揺り籠に寝ている心地良さだ。

春眠にうたたねしてる桜島　　　新原天玄子

　桜島も灰を撒き散らす手が休んだままだ。

（NHK学園　川柳講師　橋爪まさのり）

4 月17日㊐	天気		行事	
	気温	℃		

土用、なすびの日、満月

4 月18日㊊	天気		行事	
	気温	℃		

発明の日

福井県産ブランド和牛「若狭牛・三ツ星若狭牛」

　福井県のブランド和牛若狭牛とは、自然豊かな越前若狭の四季に富んだ気候と、豊かな風土の中で丹精込めて育てた牛の中から厳選し、年間約600頭ほどしか出荷されない最高級の福井県産和牛です。

　若狭牛は30年以上の歴史があり、次の3つの要件を満たしたものが若狭牛として認定されます。

　黒毛和種で血統が明確であるもの、福井県内で12ヶ月以上肥育されたもの、品質格付け3等級以上、かつBMS 4以上という高品質な牛肉のみが若狭牛として販売されています。

　また若狭牛はストレスの少ない環境で飼育されています。全国団体が定めた飼養管理基準をもとに、福井県が現地確認を行った農場で生産された牛肉のみ認証されております。

　さらに若狭牛の中でも、美味しさを増すオレイン酸含有量が特に高いもの（牛脂中55％以上）を「三ツ星若狭牛」として認定しています。

　オレイン酸とは、身体に良いと言われている

4 月19日㊋	天気	行事	
	気温　　　℃		

地図の日

4 月20日㊌	天気	行事	
	気温　　　℃		

穀雨、郵便週間、郵政記念日

不飽和脂肪酸の一種で、オリーブオイルの主成分です。オレイン酸値が多いほど脂肪の融点が低くなり、口どけの良い状態になります。牛の脂とうまみ成分がバランスよく交わることで後味がサラッとまろやかに感じられます。

　サシが密できめ細かく、風味が良いと評判の若狭牛ですが、「三ツ星若狭牛」はさらに牛肉の食味（香り・食感）が豊かな、ワンランク上のブランド若狭牛です。福井県の恵まれた自然と愛情たっぷりの環境で、農家が丹精こめて育てあげた福井県産ブランド和牛「若狭牛」を是非ともご堪能下さい。

（福井県農業協同組合　園芸特産部
　　　　園芸畜産課　佐藤　秀行）

4 月 21 日㊍	天気	行事
	気温　　　　℃	

放送広告の日

4 月 22 日㊎	天気	行事
	気温　　　　℃	

アースデー

温暖化で広がる亜熱帯果樹栽培

　とどまるところを知らない温暖化を背景に亜熱帯果樹の国産化が注目されている。亜熱帯果樹の明確な定義はないが、ミカン、ビワなど通常の常緑果樹よりも高温の地域に適し、パインやマンゴーなど本格的な熱帯果樹より、涼しい地域でも栽培可能なものをさす。

　具体的には、ブラッドオレンジなど亜熱帯性カンキツや、アボカド、パッションフルーツ、ライチ、チェリモヤ、アテモヤなどである。これらは日本ではほとんど栽培されていないか、栽培されていても、南西諸島（沖縄県と鹿児島県）や伊豆・小笠原諸島（東京都）などが中心となっている。しかし、近年は、九州、四国、本州のカンキツ栽培地帯において、これらの栽培が広がろうとしている。

　なかでも期待されるのがアボカドとパッションフルーツである。

　アボカドは健康に良いとのイメージが定着し、輸入量がこの10年で２倍以上に拡大した。今や国内産のモモの出荷量に近い量が日本で消

4 月23日⊕	天気		行事	
	気温	℃		

4 月24日⊜	天気		行事	
	気温	℃		

費されている。現状の自給率は1％をはるかに下回り、輸入先の9割以上がメキシコである。メキシコからの輸送はかなりの時間がかかることから、若い果実を収穫し、輸送中に追熟させて販売されるが、早期収穫された果実はアボカドで大切な油分の蓄積が不足していることが多い。したがって油分が十分の樹上完熟果は高級アボカドとして評価されることが期待できる。

南国の香りが際立つパッションフルーツは、野菜のように毎年植付けを行う果樹である。苗木で越冬させるため、寒害を回避しやすいという、生産上のメリットがある。亜熱帯果樹栽培など温暖化の上手な活用は、今後の農業を考える上で重要なポイントである。

（農研機構 果樹茶業研究部門　杉浦　俊彦）

4 月25日㊊	天気		行事	
	気温	℃		

4 月26日㊋	天気		行事	
	気温	℃		

ふるーつ大福　～旬の果物、栗等につぶあん、クリームが入って格別な大福です～

大福は古くから家庭でも作られ、和菓子屋は然る事ながら近所の店先にもある、懐かしい食べ物でありました。

ところが、これまで餡を餅生地で包んでいたものが、果物や栗、たっぷりのクリーム、餡などが包まれるようになって、大福の姿を大きく変えてきています。

今回紹介する、養老軒のふるーつ大福は、大粒の苺やバナナ等色々な果物、密漬栗等につぶあん、たっぷりのクリームが入って、マシュマ

ロのような食感です。大福から爽やかなフルーツと甘い餡、そしてクリームの美味しい香りが口に広がり、格別な味わいです。

こんな美味しいお菓子には初めて出会ったと言われる程です。

ここ川辺町は、写真に載せた郷土銘菓「是より飛騨路」にあるように、飛騨への入り口にあたります。一方、飛騨からは峠を越え、飛騨川の源流を渡り、幾つもの山や川を過ぎて、漸く山が開けてくる所です。飛騨川を中心にした河

| 4 月 27 日 ㈬ | 天気 | 行事 |
| | 気温　　　　℃ | |

| 4 月 28 日 ㈭ | 天気 | 行事 |
| | 気温　　　　℃ | |

サンフランシスコ講和条約発効日、庭の日

岸段丘に続く山に囲まれた平地が開けてくる所です。

この辺り、中濃から東濃（岐阜県の中部、東部）に広がる丘陵地は、栗の栽培が盛んなところです。そこで栗を使った菓子作りが広がり、その代表が「栗きんとん」（平成27年に紹介）でした。また、地元産の小豆を使った菓子作りも盛んなところでしたが、世帯数も多くはないため、進物中心の和菓子でした。

そこで、日常生活の中で身近に求められ、食される菓子作りへの思いと、元々餅をついていた技術とこだわりの餡、そして大福があって、誰も作っていない、誰も作れない物として考え作られて来たもので、地元産の栗と餡にこだわったお菓子作りから、フルーツ（果物等）へと繋がっていったようです。

平成24年には、農林水産大臣賞を受賞しています。

それぞれに違う餡を使い、旬の果物にこだわり、手間暇をかけて手作りされています。

4 月29日㈮	天気	行事
	気温　　　℃	

◉昭和の日　　畳の日

4 月30日㈯	天気	行事
	気温　　　℃	

　　図書館記念日

　ふるーつ大福は、店頭販売の他、電話、ホームページでも発送してくれます。

【お問い合わせ】
おりじなる大福『お菓子処 養老軒』
マネージャー：井戸哲也
本店：岐阜県加茂郡川辺町下川辺２７３-１
℡：0574-53-6291

（元岐阜農林統計協会　事務局長
　　　　　　　　　　　平田　忠彦）

大凧合戦
（愛媛県五十崎町）

●節気・行事●

メーデー	1日
八十八夜	2日
憲法記念日	3日
みどりの日	4日
こどもの日	5日
端午の節句	5日
立　夏	5日
母　の　日	8日
小　　満	21日

●月　　相●

○満　月		16日
●新　月		1日
		30日

５月の花き・園芸作業等

花　　き

アサガオ、サルビア、マツバボタン、ホウセンカなど熱帯産春播き一年草の播種。オダマキ、ナデシコ、キキョウなど宿根草の播種。洋蘭類の株分けと鉢替え。東洋蘭の株分けと鉢替え。観葉植物の株分け、挿し木、鉢替え。ツツジ、シャクナゲの花後の剪定。マツのみどり摘み。

野　　菜

ミツバの直まき。露地キュウリ、パセリ、セロリの移植。豆類の支柱立て。ゴボウの間引き。ジャガイモの土寄せ。果菜類の摘芯、摘芽。果菜類の病害虫防除。早熟栽培のキュウリ、トマト、ナスの収穫。

果　　樹

リンゴの人工受粉。リンゴ、モモ、ナシの摘果。ブドウの摘芽、摘梢。リンゴ、ナシの袋かけ。ブドウの誘引。リンゴ、モモの病害虫防除。草生園の草刈り。

5月 暦と行事予定表

	節 気 ・ 行 事	予 定
1 ㊐	メーデー、日本赤十字社創立記念日、新月	
2 ㊊	八十八夜、緑茶の日	
3 ㊋	◙ 憲法記念日	
4 ㊌	◙ みどりの日、しらすの日	
5 ㊍	◙ こどもの日、端午の節句、立夏、レゴの日	
6 ㊎	コロッケの日	
7 ㊏	コナモンの日、庚申	
8 ㊐	母の日、世界赤十字デー	
9 ㊊	アイスクリームの日、上弦の月	
10 ㊋	愛鳥週間、地質の日	
11 ㊌	甲子	
12 ㊍	看護の日	
13 ㊎		
14 ㊏	種痘記念日、合板の日	
15 ㊐	沖縄本土復帰記念日	
16 ㊊	旅の日、己巳、満月	
17 ㊋	世界電気通信記念日、高血圧の日	
18 ㊌	国際親善デー	
19 ㊍	ボクシング記念日	
20 ㊎	ローマ字の日月	
21 ㊏	小満	
22 ㊐		
23 ㊊	kissデー、下弦の月	
24 ㊋	伊達巻の日	
25 ㊌		
26 ㊍		
27 ㊎	小松菜の日	
28 ㊏	ゴルフ記念日	
29 ㊐	こんにゃくの日	
30 ㊊	ゴミゼロの日、消費者の日、新月	
31 ㊋	世界禁煙デー	

夏の健康野菜を作ろう

夏の疲れを回復し、免疫力をアップする、暑さに強い野菜を作りましょう。

【ニガウリ】

沖縄ではゴーヤーと呼ばれ、原産地はインド、生育適温は25〜30℃で、病害虫にもほとんどかかりません。

(栽培のポイント) 5〜6月が種まき期で、種子は硬実のため、皮の一部を傷つけて一晩吸水させてからまきます。開花後15〜20日で、果実の形が完成したら早めに収穫します。

(栄養) 特有の苦み成分はモモルデシン。胃液の分泌を促進し、肝機能を高めます。ビタミンCに富み、ミネラル、食物繊維も多い。

【オクラ】

アフリカ原産のオクラは、真夏に美しい黄色の花が次々に咲きます。生育適温は、20〜30℃ですが、30℃以上は着果・着莢が悪くなります。

(栽培のポイント) 5〜6月に種まきします。1ヵ所に3〜4本植えにすると、育ちがゆっくりとなり、取り遅れがなく適切な大きさの実を収穫できます。

(栄養) 特有の粘りはペクチンとムチンで、胃の粘膜を守り、消化吸収を助けます。カロテンやミネラルも多い野菜です。

【モロヘイヤ】

主にエジプトを中心に北アフリカ、中近東で栽培されています。

(栽培のポイント) 5月〜6月に種まきし、収穫は7〜9月です。30cm程度の高さで摘心し、分枝を促します。9月頃から開花し、さやが成りますが、子実には有毒物質を含むため、さやは食べてはいけません。

(栄養) エジプトでは王様の野菜と呼ばれ、カロテン含有量は野菜の中でトップ。葉の粘りは食物繊維のムチンで、胃腸を保護し、肝機能を高める働きがあります。

(神奈川県種苗協同組合　成松　次郎)

その5
さっぱりとした酒質　北海道・東北地区

古来より、東日本の酒はすっきりと軽やか、西日本は芳醇な味わいと言われてきました。

『地酒探訪その1』でも述べた通り、これには気候の違いから生まれたもの。酒造りを行う冬季の気温が冷涼な北海道・東北地方の酒もこれに違わず、軽妙な淡麗型が主流です。

【北海道】

1年を通して気温が寒冷で、なおかつ酒米も「きらら397」や「吟風」など道産のものを積極的に利用しているのが北海道です。気候と酒米の特徴があいまって、熟成の浅い、あっさりとした風味が特徴。それが特産品である海産物によくマッチします。

【青森県】

濃醇な味わいの酒が好まれてきましたが、最近になって淡麗なニュータイプが誕生し、地酒ファン注目を集めています。

【岩手県】

三大杜氏の一つである「南部杜氏」お膝元の酒は、昨今の嗜好にマッチした、さらりと穏やかな味わいが特徴です。

【宮城県】

軽妙な味わいが主流の東北7県の中で、淡麗タイプと濃醇タイプまでバラエティ豊かなのがこの県。ササニシキなど、自慢の食用米による酒造りも盛んです。

【秋田県】

豪雪地帯として、冬季には塩を効かせた保存性の高い食料の備蓄が必須でした。こうした食文化に合わせ、地酒もどちらかといえば甘めで、ふくよかな味わいです。

【山形県】

国内屈指の米どころの酒は、穏やかな香りとなめらかな味わい。バランスの良さで万人に好まれるのが特徴です。

【福島県】

太平洋沿いを指す浜通り、福島や郡山がある中通り、会津若松や喜多方を中心とする会津盆地の3地区からなるこの県では、地酒の味わいも魚介にあう浜通り沿いの酒、会津では保存食から生まれた濃く甘口の酒、その中間の中通りの酒と三様です。

(ライター・千羽　ひとみ)

5 月 1 日㊐	天気		行事	
	気温	℃		

メーデー、日本赤十字社創立記念日、新月

---

5 月 2 日㊊	天気		行事	
	気温	℃		

八十八夜、緑茶の日

八十八夜

八十八夜は立春から数えて八八日目で五月二日頃。昨年は五月一日だった。

八十八夜今年も花の種を蒔く　　　奥野　丹景

愛知県下では、この日を「苗代正月」と呼んで、苗代に籾を播く基準にする地域もあったという。この頃には霜のおそれも少なくなるので、苗代作業や茶摘み、蚕の掃きたてなどの目安にされたのだろう。

八十八夜茶摘み新茶の季節です　　　波部　白鬼

文部省唱歌「茶摘」を思い出す人もいよう。『夏も近づく八十八夜／野にも山にも若葉が茂る／あれに見えるは茶摘みじゃないか／あかねだすきに菅の笠』。子供の頃、女生徒が「せっせっせ」の手合わせ遊びに愛唱されていた。トントンの合いの手を入れながら。

静岡県はお茶の栽培で知られるが、八十八夜の日、関係者によって「茶感謝式典」が執り行われている地域もあるという。

子守唄八十八夜ねむくなる　　　桂　ひろし

『八十八夜という言葉はいい。ひびきに、日

5 月 3 日㊋	天気	行事
	気温　　　　℃	

◉ 憲法記念日

5 月 4 日㊌	天気	行事
	気温　　　　℃	

◉ みどりの日　　　　　　　　　　　　　　　　　　　　　　　　　　　　　　しらすの日

本の自然をすっかりひっくるめて包みこんでいるやさしさがある。立春から八十八日目。草も木も盛んな生命に燃えて、さわさわとものみなが生活の音を立てている』と作家・大原富枝は「くらしのうた」に書いている。

思慕つのるドラマの里の茶摘み唄　　鶴久百万両
新茶もむ八十二翁の指さばき　　　　土井はる子
晩霜に村の景気がまた変わり　　　　奥田　白虎

「八十八夜の忘れ霜」のことばがある。「八十八夜の別れ霜」とは、この頃になると霜とサヨナラの意味で「別れ霜」だが、忘れ霜は、もう霜はこないだろうと霜のことを忘れた頃にくるからタチが悪い。急に気温が下がって霜がおりる。農作物や果樹に思いがけない被害を及ぼすことがあり、それを警戒することばである。早霜、遅霜いずれも農家泣かせのやっかいなものであることにかわりはない。

晩霜もなく順調な農作業　　　　　　北川　　勲

（NHK学園　川柳講師　橋爪まさのり）

5 月 5 日（木）	天気		行事	
	気温	℃		

🎏 こどもの日　　　　　　　　　　　　　　　　　　　　　端午の節句、立夏、レゴの日

5 月 6 日（金）	天気		行事	
	気温	℃		

　　　　　　　　　　　　　　　　　　　　　　　　　　　　　　コロッケの日

川カニの "かにばっと" 川カニの出汁で作るひっつみ

　川カニの出汁で作るひっつみ（すいとん）で、昔は各家庭で料理をしていましたが、最近ではカニが獲れなくなったこともあり、集落の行事などに伝統料理として受け継がれています。

★川カニ（モズクガニの一種）
　比較的大きな河川で（岩手県の一関市では北上川）、昔は竹で作った〝かに籠〟を使っていましたが、最近ではカニ網を使用して獲っているそうです。

【材料】
　川カニ、小麦粉、野菜（里芋、大根、人参、ゴボウ、ねぎ）、しょう油

【作り方】
①小麦粉をぬるま湯で固めに練り、一晩寝かせておきます。そのあと薄く伸ばしてちぎり、熱湯で茹であげておきます。
②川カニは、生の状態でカニ味噌を別に取り分

| 5 月 7 日㊏ | 天気 | 行事 |
| | 気温　　　　℃ | |

コナモンの日、庚申

| 5 月 8 日㊐ | 天気 | 行事 |
| | 気温　　　　℃ | |

母の日、世界赤十字デー

　　け、脚・ハサミ、甲羅を細かくすり潰し、適
　　量の水で出汁をとります。
③野菜は、里芋は乱切り、大根と人参は銀杏切
　　り、ゴボウは笹がきにして、カニの出汁で煮
　　込みます。
④川カニの出汁で野菜を煮込んだ汁にしょう油
　　で味をつけ、①のひっつみを入れます。
⑤最後にカニ味噌と刻みねぎを入れて完成で
　　す。

（岩手農林統計OB会　佐藤　進）

5 月 9 日㈪	天気		行事	
	気温	℃		

アイスクリームの日、上弦の月

5 月 10 日㈫	天気		行事	
	気温	℃		

愛鳥週間、地質の日

クビアカツヤカミキリにご注意

外来昆虫のクビアカツヤカミキリが日本国内で拡散し、幼虫がバラ科樹木の材を食い荒らすため、サクラ、ウメ、モモ等の樹木への被害が深刻となっています。現在では群馬県、埼玉県、茨城県、東京都、愛知県、三重県、大阪府、奈良県、和歌山県および徳島県の11都府県に分布しています。

クビアカツヤカミキリの成虫は触覚を除き体長2〜4cm、体全体はつやのある黒色、胸部が赤色の外見をしており、独特のジャコウ臭を放つのが特徴です。産卵数が1,000を超えた例も知られています。卵は樹皮に産み付けられ、孵化した幼虫は樹皮下へと食い進みます。幼虫のあけた穴からは、うどん状のフラス(木くずと糞の混合物)が大量に排出されます。2〜3年かけて成長し、樹体内で蛹を経て、6〜8月頃に成虫として樹木に穴をあけて羽化脱出します。

多数の幼虫に加害された樹木はやがて枯死するため、その被害の大きさと分布拡大の速さから2018年に環境省により「特定外来生物」に指

5 月 11 日 ㊌	天気	行事
	気温　　　　℃	

甲子

5 月 12 日 ㊍	天気	行事
	気温　　　　℃	

看護の日

定されました。成虫を見かけた場合はその場で捕殺して下さい。バラ科樹木から大量のフラスが排出されている場合は、発見した自治体まで連絡をお願い致します。

　最も効果的な防除は被害木の伐採処理ですが、伐採が困難な場合も少なくありません。そのため、幼虫に効果のある農薬の効果的な使い方、成虫を誘う匂いでの捕獲、ネットや粘着資材で木から出てきた成虫の拡散を防ぐ方法、さらには卵や幼虫を捕食する天敵生物の探索も行われています。これらの防除方法を組み合わせ、より効果的な防除方法の開発が進められています。

　同時に、被害初期に迅速な防除が重要ですので、クビアカツヤカミキリによる被害の深刻さを共有し、地域ぐるみで早期発見、駆除活動が求められています。

（森林研究・整備機構
　　森林総合研究所　松本　剛史）

5 月13日㊎	天気		行事	
	気温	℃		

5 月14日㊏	天気		行事	
	気温	℃		

種痘記念日、合板の日

しずおか県初の和牛肉統一ブランド『しずおか和牛』

　静岡県における牛の生産の歴史は古く、鎌倉時代末期の国産の牛十選を説いた図説『国牛十図』には、遠江牛（遠江とは現在の静岡県西部地方）に関する記述が残っています。古来より牛の飼育が盛んであったことを窺い知ることができるこの記述は、良い牛が育つ土壌が静岡県にはあるという証明でもあります。

　また、静岡県で生産されている肉牛は、日本食肉格付協会が実施する牛枝肉格付において、肉質等級の上位である４、５等級の格付率が全国平均を上回っており、生産者の肥育技術の高さも際立っています。実際の地域ブランドは、全国各地の品評会でも上位に入賞を重ねるなど高い実績がありますが、その品質と実績に比べ、知名度は全国区と言えないことも事実です。

　そこで、県外はもとより、海外へ展開していくことも視野に入れ、生産者、畜産関係者、流通業者と協議を重ね、しずおか県初の和牛肉統一ブランドとして平成29年に『しずおか和牛』は誕生しました。

5 月15日㊐	天気		行事	
	気温	℃		

沖縄本土復帰記念日

5 月16日㊊	天気		行事	
	気温	℃		

旅の日、己巳、満月

　『しずおか和牛』は、飼養期間26ヶ月齢以上で、肉質等級が３等級以上に格付けされた黒毛和種です。さらに、５等級に格付けされたものは『しずおか和牛頂上』として取り扱われています。近年では、近江牛、神戸ビーフ、松阪牛、飛騨牛などの有名ブランド牛を擁する県が参加する近畿東海北陸連合肉牛共進会（第67回）においても、本県の『しずおか和牛』が最優秀賞を受賞するなど、非常に優れた肉質を誇っております。

　上質でおいしい牛肉が生まれる環境に、これまでに培われた生産者の努力と技術が相まって極めた和牛、それが「しずおか和牛」です。

（静岡県経済産業部 農業局
　　　　畜産振興課　山本　千晶）

5 月17日㊋	天気		行事
	気温	℃	

世界電気通信記念日、高血圧の日

5 月18日㊌	天気		行事
	気温	℃	

国際親善デー

カンキツ栽培でのジベレリン利用

カンキツにおいてジベレリンは花芽抑制による樹勢の維持、落果防止・着果安定、無種子果、浮皮軽減、水腐れ軽減、果皮の緑色維持、新梢伸長促進、果実肥大促進目的で用いられています。ここでは着花抑制、落果防止、浮皮軽減の使い方について少し説明します。春に着花が多すぎると新梢発生が少なく新葉の量も少なくなり、樹勢の低下が起こりやすくなります。また、春から夏の新梢は翌年の結果母枝となるので翌年の着花が不足して収量が減少し、結果として隔年結果が助長されてしまいます。ジベレリンは花芽を抑制する作用を持ち、冬季に散布を行うと翌春の着花数を減らし新梢数を増加させて樹勢を維持することができます。近年はマシン油などとの混用により低濃度のジベレリンが利用できるようになり、低コスト化がすすんでいます。一方、開花期にジベレリンを散布すると落果防止・着果促進効果があります。裏年に着果を促進することは当年の収量を確保するだけではなく翌春の着花量を抑えることにもつなが

5 月19日㊍	天気	行事
	気温　　　℃	

ボクシング記念日

5 月20日㊎	天気	行事
	気温　　　℃	

ローマ字の日

り、結果的に隔年結果の是正対策にもなります。この利用方法でもプロヒドロジャスモン液剤（商品名：ジャスモメート液剤）との混用により、比較的低濃度のジベレリンの利用ですみます。なお、芽かきと併用すると着果促進に効果的です。近年、秋の高温や多雨により温州ミカンの浮皮の発生が問題となっていますが、ジベレリンとプロヒドロジャスモン液剤の混合液を収穫予定日の3か月前に散布することで浮皮を軽減することができます。着色遅延が伴うことがありますが、薬剤の濃度や散布時期を調節することで、貯蔵しない早生・中生温州ミカンでも利用しやすくなりました。ジベレリンの具体的な登録内容については薬剤の適応表などを確認して使用してください。

（農研機構　果樹茶業研究部門

佐藤　景子）

5 月21日㊏	天気		行事
	気温	℃	

小満

---

5 月22日㊐	天気		行事
	気温	℃	

佐賀の特産品が盛りだくさんのマジェンバ

　佐賀県小城市のご当地グルメとして年々ファンを増やしているのが、佐賀県の特産品を満載した冷麺「マジェンバ」です。

　「マジェンバ」と聞くと、まるでフレンチかイタリアンのお洒落な一品を思い浮かべてしまいますが、この言葉は佐賀弁の「混ぜんば（混ぜて！）」が語源。

　2011年、佐賀県小城市の有志が町興しのために知恵を絞って生み出した新しいご当地グルメが「マジェンバ」なのです。

　マジェンバは中華麺や豆乳麺など様々な冷麺を皿に盛り、しょうゆベースの特性ダレを絡めたら、その上に生野菜やチャーシュー、ささみや玉子などを乗せて「混ぜんば！」とばかりに元気よくまぜまぜするのが基本。

　食材も盛り付けも自由にアレンジできるため、市内に10軒ほどあるマジェンバ協賛店では、多彩なおいしさが味わえます。

　使われている麺もお店によって様々で、中華麺や豆乳麺、ちゃんぽん麺やパスタなど、バラ

5 月 23 日㊊	天気		行事	
	気温	℃		

kissデー、下弦の月

5 月 24 日㊋	天気		行事	
	気温	℃		

伊達巻の日

エティいっぱいに揃っているので、市内で食べ歩きをするのも楽しそうです。

アレンジ自在なのがマジェンバの特徴ですが、料理を提供する店には「これだけは守って」というルールもあるのだとか。

それは、小城市地元で採れた食材を必ず使うこと。

そこで、お店で供されるマジェンバには、玉ねぎやアスパラガス、蓮根やナスなどの農作物や海苔や赤貝などの海産物が盛り込まれ、小城市らしさを演出しているということです。

自宅でマジェンバを作る場合は、協賛店で売っている「マジェンバのたれ」を使うのがお勧めです。

お店ではタレを使って各店の味を統一しているため、このタレを味の決め手に使えば、自宅でも本場の味が再現できそうです。

（佐賀県伝統食探訪会）

5 月25日㊌	天気	行事
	気温 ℃	

_____

_____

_____

_____

_____

_____

_____

_____

5 月26日㊍	天気	行事
	気温 ℃	

_____

_____

_____

_____

_____

_____

_____

_____

一度は行ってみたい、全国秘湯めぐり⑤

古き良き秘湯の雰囲気そのままに
明治のノスタルジーが今も漂う「法師温泉」

　少しご年配の方なら、かつて高峰三枝子さんと上原謙さんが出演した「フルムーンの旅」のCMを覚えておられるかもしれません。

　法師温泉長寿館は、そのCMの舞台となったクラシカルな温泉旅館。

　創業140年の歴史を持つこの宿は、明治のモダニズムを感じさせる「本館」と、昭和初期に創業した和風の「別館」が絶妙なバランスで融合する、歴史的建造物です。

　国の登録有形文化財に指定されたその佇まいは、秘湯の隠れ家と呼ぶにふさわしい、ノスタルジックな美しさ。俗世から離れた秘湯の雰囲気を心ゆくまで楽しめる別天地です。

　法師温泉長寿館寿が誇る名物温泉は、法師乃湯、玉城乃湯、長寿乃湯の3つ。

　まず、鹿鳴館様式の建物で登録有形文化財に指定されている「法師乃湯」は、100年前の雰

5 月27日㊎	天気	行事
	気温　　　℃	

小松菜の日

---

5 月28日㊏	天気	行事
	気温　　　℃	

ゴルフ記念日

囲気そのままに、昔と変わらぬ混浴スタイル。自然光の中に浮かび上がる重厚な浴槽と白い湯気に誘われて、心は明治時代にタイムトリップしてしまいそうです。法師乃湯の泉質は無色透明のカルシウム、ナトリウム硫酸塩泉で胃腸病や動脈硬化に効くそうです。

　玉城乃湯は贅沢な総檜造りで、内風呂から開放感のある露天風呂へすぐ移動できるのが大きな魅力。こちらは混浴ではなく、男女時間交代制を採用しているため、ゆっくり寛ぎたい女性客には大好評だということです。

　長寿乃湯は、泉質を測る基準に照らし合わせて、日本天然温泉審査機構より６項目すべて満点という高評価を得ています。

　長寿乃湯は足下湧出で、コンコンと綺麗な泉が湧き出しており、その感触が病み付きになるという湯治客も多いといいます。

　清流の流れる川面を目の前に入る温泉は、まさに値千金といったところでしょう。

5 月29日 ⊜	天気	行事
	気温　　　℃	

こんにゃくの日

....
....
....
....
....
....

5 月30日 ㊊	天気	行事
	気温　　　℃	

ゴミゼロの日、消費者の日、新月

....
....
....
....
....
....

栃木県育成のあじさい新品種

　栃木農試では、2種のあじさい新品種「エンジェルリング」「プリンセスリング」を育成し、2019年7月に品種登録出願を行いました（同年11月に出願公表）。この2品種は、2014年に、きらきら星（栃木農試育成・八重咲き・ガクアジサイ型・白覆輪）に、当場保存系統（一重咲き・アジサイ型・単色）を交配し、得られたF1系統（一重咲き・ガクアジサイ型・白覆輪）を自殖交配して育成した姉妹品種です。

　両品種に共通する主な特徴は、①希少性の高い八重咲きのガクアジサイ②花色は、ガク片の縁が白い覆輪タイプの複色③がく片に細かい切れ込みが入り、華やかさがある④花粉の脱落がなく屋内観賞向き⑤草姿がコンパクトで輸送性に優れる、などです。また、相違点としては、①装飾花はプリンセスリングの方が大きい②エンジェルリングは小輪だが、花数は多い③花の主色は、エンジェルリングの方が鮮紫ピンクで赤味が強い、などがあります。

　これまでに発表した「きらきら星」「パラソ

世界禁煙デー

コラム

クロワッサンはなぜ三日月形か？

クロワッサンは、フランスでよく知られているパンですが、元はオーストリアのウィーン名物でした。これがフランスに伝わったのはマリー・アントワネットの時代だとされています。

ウィーンでは17世紀の末にこのパンが流行ったそうです。当時のオーストリアはオスマン・トルコと戦争状態にありました。ある日の早朝、パン屋が目覚めると、トルコ軍の兵士がちょうどウィーンの街に攻め込もうとしているところでした。それに気づいたパン屋が、いち早くオーストリア軍に状況を伝えたことで、ウィーンはトルコ軍の攻撃を最小限に留めることができました。

これを記念して、トルコ軍の旗に描かれている三日月を食べる意味で、三日月形のパンが誕生しました。これがクロワッサンの由来だと言われています。

ルロマン」と併せて栃木県育成のあじさいは4品種になりました。4品種ともジャパンフラワーセレクションにおいて入賞を果たした期待の品種たちです。今後は、生産者グループと一体となり、あじさいの生産技術を高め、「栃木のあじさい」のブランド化を目指して取り組んでいきます。

（栃木県農業試験場
　　研究開発部花き研究室　寺内　信秀）

粗食より、バランスの取れた食事が老化を防ぎます。

　一時、粗食を摂っているいる方が健康を保ち、寿命を延ばすという認識が広まりました。

　確かにタンパク質や糖質、脂肪を多くとると生活習慣病に直結して、病気になりやすい体質になることは間違いありません。しかし肝心なのはその量を控えめにするということで、食事の内容が貧弱で栄養価の低いものばかりでよいわけがありません。健康長寿の基本は「腹七分目」を守りながらバランスのとれた食事をすることです。

　老化は逆らえない自然の現象ですので、そのゆっくりと進んでいく流れをいかにコントロールしていくかが重要になります。

　老化防止のための食事には、タンパク質、糖質、脂質、各種のビタミン、ミネラルなどの栄養素すべてが欠かせません。魚や肉も質の良いものを選んできちんと食べることが大切で、栄養価の低い食事は体や脳に悪影響を与え、間違いなく老化を進めていきます。

　日本人が世界的にみて長寿でいられるのは、さまざまな要因があると思いますが、その主たるものはバランスのとれた「和食」中心の食事をとってきたからだと言って良いでしょう。

　この素晴らしい日本が誇る「和食」に、さらに老化を防ぐ効果のある食材を一品加えるだけで、十分に栄養価のバランスのとれた食事になります。

　一方、食べる順番にも気を付けて下さい。中年期以降は血糖値が急上昇する食べ方をしていると、体にダメージを与えます。まず血糖値を急上昇させない野菜、お味噌汁などから食べ始めて下さい。次に肉や魚などのたんぱく質を食べ、最後に血糖値を急上昇させやすいご飯やパンを食べるようにすることを薦めます。

参考図書「あなたの健康常識は間違っているやってはいけない」㈱アントレックス

スマートウオッチ、まずは安いものを体験

　2021年1月の調査で20〜69歳の男女658人にスマートウォッチの所有について聞いたところ、所有率は38.0％でした。男性の43.4％、女性の32.6％がスマートウォッチを所有しているとのこと。よく利用する機能の上位は「歩数計、通知、心拍測定」で、購入理由で最も多かった回答は「健康管理をしたいから」だそうです。

　日本人の約4割、男性では半分弱が持っていることになり、スマートウォッチの定着ぶりが分かります。メーカーで一番シェアの高いのはもちろん「Apple（アップル）」で46.0％、次いで「SONY（ソニー）」が10.0％とのことです。

　所有者の半分はアップルウォッチですが、それ以外の人は何を使っているでしょうか。それは俗に「中華ウオッチ」と言われる中国製のものです。数年前までは「中華」製品は安かろう悪かろうの代名詞ですぐ壊れると思われていましたが、今や中国は世界一のガジェット（携帯できる便利な小物）帝国。

　昨年、スマートフォンの販売台数シェアで中国シャオミが韓国サムスンを抜いて首位になりましたが、中国製品はすでに小物では大きなシェアを持っています。シャオミのスマホは廉価なものでも品質が良く大人気ですが、中国製ガジェットもコスパの良い、まるでダイソーの製品のようになっています。

　アマゾンでは500円ぐらいからスマートウォッチが買え、種類の多さに迷ってしまいます。コスト重視ならお試しで500円のものでも良いですが、まずは3,000円前後ぐらいで評判の良いものを見つけてみましょう。

　口コミは「やらせ」もありますが、その中から良品を見つけるのを楽しみとすれば、それはそれで良いものです。

6月
June

チャグチャグ馬コ
（岩手県岩手郡滝沢村）

●節気・行事●

気象記念日	1日
世界環境デー	5日
芒　　　種	6日
時の記念日	10日
入　　　梅	11日
父　の　日	19日
夏　　　至	21日
沖縄慰霊の日	23日
大　　　祓	30日

●月　　相●

○満　　月	14日
●新　　月	29日

6月の花き・園芸作業等

花　　き

プリムラの播種。ハナショウブ、アヤメの株分け。熱帯性観葉植物の株分け、鉢替え。チューリップ、ムスカリ、ヒヤシンスなど秋植え球根類の堀り上げ、貯蔵。エビネの株分け、鉢替え。アサガオの支柱たて。キンモクセイ、ツバキ、ツツジ、アオキなど常緑樹の挿し木。

野　　菜

抑制キュウリ、ニンジン、ミツバの播種。セルリ、イチゴ、リーキ、球形キャベツの移植。キュウリ、カボチャ、スイカ、トマト、トウモロコシの追肥。キュウリ、カボチャの摘芯、整枝、摘葉、敷草。キュウリ、カボチャ、ナス、トマト、ソラマメ、タマネギの収穫。

果　　樹

リンゴ、赤ナシの袋かけ。カキの摘果、人工交配。早生モモ、サクランボの収穫。モモ、ナシの夏季剪定。ブドウの摘芯、誘引。ミカン、ビワの移植。敷草、排水溝整備。ブドウの根接ぎ。ミカン、ブドウ、リンゴ、ナシ、カキの病害虫防除。

6月 暦と行事予定表

	節 気 ・ 行 事	予　　　定
1 ㈬	電波の日、写真の日、気象記念日、衣かえ 万国郵便連合加盟記念日	
2 ㈭	横浜開港記念日、甘露煮の日	
3 ㈮	測量の日、ムーミンの日、旧端午の節句	
4 ㈯	歯と口の健康週間	
5 ㈰	世界環境デー、危険物安全週間（11日まで）	
6 ㈪	芒種、楽器の日、梅の日	
7 ㈫	上弦の月	
8 ㈬		
9 ㈭	ロックの日	
10 ㈮	時の記念日、天赦日	
11 ㈯	入梅、傘の日	
12 ㈰		
13 ㈪		
14 ㈫	世界献血者デー、満月	
15 ㈬	生姜の日	
16 ㈭	和菓子の日	
17 ㈮	さくらんぼの日	
18 ㈯	海外移住の日	
19 ㈰	父の日	
20 ㈪	ペパーミントの日	
21 ㈫	夏至、下弦の月	
22 ㈬	ボウリングの日、冷蔵庫の日、かにの日	
23 ㈭	沖縄慰霊の日、オリンピックデー	
24 ㈮	麦の日	
25 ㈯	住宅デー	
26 ㈰	国連憲章調印記念日	
27 ㈪	ちらし寿司の日、メディア・リテラシーの日	
28 ㈫	貿易記念日	
29 ㈬	佃煮の日、新月	
30 ㈭	大祓、夏越祭	

安全・安心な野菜づくり

家庭菜園では家族や身近な人が喜んで食べてもらえ、食べ物として安全である野菜づくりを心がけましょう。

【適地適作】

昔から適地適作といわれ、地域に適した種類や種まきの適期があります。また、このように育った野菜の収穫期を「旬」といい、おいしい野菜が食卓に上ります。たとえば、ダイコンは、火山灰土や砂質土のように、耕土が深く土が軟らかく、排水のよい畑が適地です。ダイコンは晩夏に種まきして暑い季節を幼苗で越し、秋の適温期に急速に葉数を増加させて根の肥大が起こり、冬に十分根が肥大して収穫期を迎えます。その後、厳寒期は寒さで葉は痛みますが、根は地中で保護され、冬中、収穫・利用ができます。

【土づくり】

堆肥は野菜に必要な肥料成分を含み、有用な微生物の宝庫です。土は酸性になりやすいので少量の石灰などで矯正します。そして、生育に必要な成分を化学肥料や有機質肥料で適量与えます。根の深いダイコンやトマトでは40〜50cm、根の浅いハクサイなどでは30cm程度に耕し、ここに堆肥と肥料をすき込みます。

【農薬の使用】

野菜のよく育つ季節は、病害虫も活発な時期なので、農薬を使わないで野菜を作るのは困難です。被害を最小限にするためには、早めに発見して対処することが基本です。農薬の使用に当たっては、その野菜に適用がある農薬であること、定められた濃度や使用量を守ること、定められた使用時期や使用回数以内で使用することが大切です。一方で、散布する人の安全のために、マスクや手袋の着用、さらに、他の野菜への飛散を防ぐことを心掛けましょう。

（神奈川県種苗協同組合　成松　次郎）

その6
時代に敏感かつ洗練された酒造り　関東地区

東京という一大消費地が間近に控える関東地区は、時代の動きに敏感な酒造りが特徴。

【茨城県】

この県ゆかりの麹「きょうかい10号酵母」の存在もさることながら、軟水の仕込み水で、軽妙な酒質を好む都会人の嗜好を反映させた酒造りが特長。すっきりとした味わいの中に甘味を感じさせる酒が主流です。

【栃木県】

濃醇甘口タイプが主流とされてきましたが、若手蔵元が中心となり、挑戦的な酒造りが始まっています。

【群馬県】

県産の好適米「若水」を利用した、やや濃醇かつ中辛口な味わいが特徴とされてきました。昨今では県産麹「群馬KAZE酵母」の誕生で、華やかな香りが特徴の吟醸酒に注目が集まっています。

【埼玉県】

今も30近い蔵元がある「隠れた酒どころ」と言えるのがこの県。総じて都会人に好まれる、さっぱりとした味わいです。

【千葉県】

新鮮な魚介とよく合う、軽快な辛口タイプが多い県です。山廃という特殊な作りがされた酒や古酒など、個性的な酒造りに特化した酒蔵が多いのもこの県の特徴です。

【東京都】

多摩地区を中心に10軒ほどの酒蔵が存在しています。低アルコールタイプ（アルコール濃度が11〜14％。通常は20％）や洋食にマッチする日本酒など、時代にマッチする、軽快でさわやかな味わいの酒を輩出しています。

【神奈川県】

丹沢山系の伏流水を利用した酒造りがされています。様々な食材が集まる大都市圏の酒らしく、どんな料理にも合わせやすい軽快な飲み口が特徴です。

【山梨県】

ワインだけでなく、日本酒もなかなか。穏やかな甘辛中間タイプで、すっきりした飲み口が味わえます。

（ライター・千羽　ひとみ）

6 月 1 日㊌	天気		行事	
	気温	℃		

電波の日、写真の日、気象記念日、衣かえ、万国郵便連合加盟記念日

6 月 2 日㊍	天気		行事	
	気温	℃		

横浜開港記念日、甘露煮の日

鮭の酒びたし

村上の「酒びたし」は、毎年7月7日の羽黒神社の大祭には、なくてはならないお酒のつまみの逸品です。

11月中旬頃、三面川の水を飲んだ1匹5kg〜6kgの鮭を捕まえてぬめりを取り、水でよく洗い、塩をかけて1週間ほど漬けこみます。

その鮭を塩抜きして、「塩引き鮭」を作ります。塩抜きした鮭はまだぬめりが残っているので、再度ぬめりを取り、よく水洗いをしてタオルで水気を拭き取ります。

そのあと、直射日光の当たらない、風通しの良い所に鮭の頭を下にして吊し、乾かします。

年が明けて5月頃になったら、皮を火であぶってはがします。頭とハラス（腹の部分）を取ってから、身を3枚におろします。

1枚の身を薄く切り、これを皿に盛って食します。

地元新潟では、この鮭の「酒びたし」は最高級の酒のつまみとして喜ばれています。

| 6 月 3 日㊎ | 天気 | 行事 |
| | 気温　　　　℃ | |

測量の日、ムーミンの日、旧端午の節句

| 6 月 4 日㊏ | 天気 | 行事 |
| | 気温　　　　℃ | |

歯と口の健康週間

【食べ方】
　一皿に、薄く切った鮭の身を10枚くらい並べ
て、お好みで千切り生姜を上に乗せ、日本酒か
みりんをかけて召し上がってみて下さい。

（新潟県村上市　本間　キト）

6 月 5 日 ⊜	天気		行事
	気温	℃	

世界環境デー、危険物安全週間（11日まで）

6 月 6 日 ㊊	天気		行事
	気温	℃	

芒種、楽器の日、梅の日

施設有機栽培ミニトマトの病害虫防除

　令和3年5月に「みどりの食料システム戦略」が策定され、化学合成農薬に頼らない病害虫防除技術の開発が急務となっています。ここでは、茨城県の農業生産法人の協力を得て、施設有機栽培における夏秋どりミニトマトを対象とした研究の成果をご紹介します。

　ミニトマトを有機栽培で生産した場合、アブラムシやコナジラミなどの害虫類、葉かび病やうどんこ病などの病害による被害が多発し、厳しい経営状況になりかねません。そこで事前対策として、太陽熱土壌消毒および輪作、育苗施設・本圃への防虫ネットの設置や病害虫の持ち込み防止を徹底しました。さらに本圃では、温湯消毒した栽培用器具の使用、通風を図るための栽培管理、アブラバチやツヤコバチなどの市販天敵や微生物製剤、バンカー植物（天敵温存植物、土着天敵も定着）、有機JAS規格適合の殺虫剤や殺菌剤の導入を行い、改善を重ねました。その結果、これらの防除技術を適切に組み合わせた総合的病害虫管理体系が完成しました

| 6 月 7 日㈫ | 天気 | 行事 |
| | 気温　　　℃ | |

上弦の月

| 6 月 8 日㈬ | 天気 | 行事 |
| | 気温　　　℃ | |

（＊）。この管理体系に従って防除することにより、有機栽培においても慣行栽培に近い収量と収益を上げられることが明らかになっています。

　本管理体系は有機栽培を実践、あるいはこれから取り組もうとする全国の生産者が対象となります。技術の習得には、専門家の適切な指導の下で数年以上の経験を積む必要がありますが、多くの生産者の方々に取り組んでいただけることを切に願っております。

＊本研究を紹介した農研機構の普及成果情報はこちらからご覧いただけます。
農研機構ホームページ/研究情報/研究成果/成果情報/普及成果

（農研機構 植物防疫研究部門　櫻井　民人）

6 月 9 日㈭	天気	行事
	気温　　　℃	

ロックの日

6 月 10 日㈮	天気	行事
	気温　　　℃	

時の記念日、天赦日

伝統野菜「埼玉青なす」

　埼玉県ときがわ町では、伝統野菜の「埼玉青なす」が特産品として作られています。

　埼玉青なすは、地域により「白なす」と呼ばれることもあります。明治時代に埼玉県内に伝えられ、中山道周辺で栽培、奈良漬けや煮物にして食べられていたそうです。ときがわ町では、各家庭で自家用として栽培されていました。

　現在は、平成18年に、定年退職後のメンバーで発足した「互笑会（ごしょうかい）」が、市場やときがわ町の直売所に出荷をしています。

　埼玉青なすの大きな特徴は、普段目にするなすと異なり、淡緑色で丸っこい巾着型をしているところです。一個400gほどの大きさで、普通のなすの3〜4倍の重さになります。栽培は大きな実の重みで茎が裂けてしまうのを防ぐために、茎を支柱やネットにしっかりとめる必要があること、葉や葉裏、ヘタなど全体的にするどいトゲがあるので気をつかうこと、収量は普通のなすよりも少ないといったこと等が大変なところです。

6 月 11 日㊏	天気		行事
	気温	℃	

入梅、傘の日

6 月 12 日㊐	天気		行事
	気温	℃	

　果肉はしまっていてアクが少なく、煮くずれしないのが特徴です。みそ汁に入れても汁の色が濁らず、きれいにできます。

○お勧めレシピ「埼玉青なすのピザ」
【材料】埼玉青なす（先とヘタを取り約2cmの輪切り）、ベーコン（細切り）、玉ねぎ（薄切り）、トマト（さいの目切り）、マヨネーズ・ケチャップ（2対1に混合）…Ⓐ、とろけるチーズ、刻みパセリ、サラダ油

【作り方】フライパンに油を熱し、埼玉青なすの両面を火が通りすぎない程度に焼きます。Ⓐを片面にぬります。ベーコン、玉ねぎ、ピーマン、トマトをのせてチーズを散らし、オーブントースターでチーズがとろけるまで焼きます。最後に刻みパセリを散らします。

（埼玉県ふるさとの味伝承士

　　　　　　　　　　　村田　いく子）

6 月13日㊊	天気		行事	
	気温	℃		

6 月14日㊋	天気		行事	
	気温	℃		

世界献血者デー、満月

一度は行ってみたい、全国秘湯めぐり⑥

**映画「テルマエ・ロマエ」の舞台は
鄙びた温泉情緒満点の「北温泉」**

　古代ローマ帝国の浴場設計技師が現代の日本にタイムスリップして大騒動になるという奇想天外な映画「テルマエ・ロマエ」のロケ地となったのが、栃木県奥那須の秘湯「北温泉」です。

　温泉街の賑わいや華やかさはない代わりに、素朴で手つかずの温泉情緒があるというので、昔から秘湯ファンには根強い人気があります。

　那須温泉郷の1つである「北温泉」には余笹川の谷合に1軒宿の「北温泉旅館」が建つだけで、ひっそりとした雰囲気です。

　木造3階建ての建物には、江戸時代から明治、昭和へと移り変わる時代の足跡が渾然一体となって残っており、レトロな建物に興味がある人には格好の観察ポイントとなっています。北温泉旅館には天狗の湯、芽の湯、河原の湯、相の湯、泳ぎ湯と様々なお風呂があり、長逗留しても飽きのこない造りになっています。天狗の湯

6 月15日㊌	天気	行事
	気温　　　　℃	

6 月16日㊍	天気	行事
	気温　　　　℃	

和菓子の日

には打たせ湯やぬる湯もあり、特にぬる湯は精神安定に効果があるということです。また、打たせ湯は「不動の湯」、「湯滝」とも呼ばれ、滝のマッサージ効果で肩こりによく効くそうです。

芽の湯は女性専用の展望風呂で、眼病に効果のあることで有名なのだとか。

温水プールにもなる大きな露天風呂「泳ぎ湯」は、水着でも裸でもOKというので、家族連れや子供たちに大人気です。

北温泉の泉質は単純温泉で、さらさらしたお湯は無色澄明で無味無臭。毎分1,620ℓもの湧出量を誇ります。古くからの湯治場だけに、今も湯治客のための自炊設備が用意されているのも嬉しいところ。日帰り入浴もできるので、一度はテルマエ・ロマエの雰囲気を味わってみたいものです。

6 月 17 日㈮	天気		行事	
	気温	℃		

さくらんぼの日

---

6 月 18 日㈯	天気		行事	
	気温	℃		

海外移住の日

地域自慢の食材　小いわし　　〜7回洗えば、鯛の味〜

「小いわし」は、広島県内で漁獲されるカタクチイワシのことです。成長しても10cm程度の大きさであるため、このように呼ばれています。

小いわしは、広島県内で一番たくさん獲れる魚で、漁場は備後灘と安芸灘にあり、毎年、6月10日の日の出とともに、漁が解禁されます。

漁獲された小いわしは、鮮度が命であり、漁業者が早朝から網を引いて市場のセリに間に合うよう出荷する努力と、良い漁場と消費地が近いという地の利が生かされていることから、初

夏の食卓や居酒屋を賑わすこととなっているのです。

昔から、「7回洗えば鯛の味」と評され、鯛のような高級魚にも勝る味と言われています。天ぷらや生姜煮などでも美味しく食べられますが、中でも刺身におろしていただくのが瀬戸内ならではの味として有名です。

小いわしの刺身を家庭で食べる場合は、厚みの薄いスプーンなどで小いわしの肩から背骨に沿って身をはがすように滑らせて捌き、捌いた

6 月 19 日 ㊐	天気	行事
	気温　　　℃	

父の日

6 月 20 日 ㊊	天気	行事
	気温　　　℃	

ペパーミントの日

身はうろこや内臓を取り除くよう冷たい水で良く洗い、ネギやおろし生姜を薬味にいただくと絶品です。もちろん、居酒屋や小料理屋でもいただくことができますので、初夏に広島にお越しの際にはぜひご賞味いただきたい逸品です。
　また、加工品は、生まれて間もない３cm程度のものを「ちりめん」、３〜５cm程度に成長したものを「かえり」、５cm以上に成長したものを「いりこ」と呼び、出汁に使われたりします。広島県の小いわしは、「音戸ちりめん」、「安芸いりこ」と呼ばれ、銘柄ブランドとなっています。

（広島県農林水産局販売・連携推進課

豊田　早苗）

6 月21日㊋	天気	行事
	気温　　　　℃	

夏至、下弦の月

―――――――――――――――――――

6 月22日㊌	天気	行事
	気温　　　　℃	

ボウリングの日、冷蔵庫の日、かにの日

―――――――――――――――――――

いか

近海で獲れるイカにはスルメイカ、アカイカ、コウイカ等があるが、漁獲の一番大きいのはスルメイカ。

イカ釣りの灯が海峡を街にする　　　渋川　渓舟

イカ釣りが始まる6月には、津軽海峡は釣り船の漁火で昼のように明るくなる。戦後スルメイカは北海道で13万トン位とれていて、昭和43年には24万トンを漁獲している。最大の漁場である津軽海峡は漁火銀座と呼ばれた。水揚げは数万トンとなった今も、函館山からの夜景は観光に一役かっている。

いか釣り火海の男を燃えさせる　　　田原　市子
漁火が戻って海は母になる　　　　　益子　雀

1970年代になって、ドラムを動力で回転させる自動イカ釣り機が普及、効率的な操業ができるようになり漁船乗組員は少なくなった。20トン級の船でも3名程度になった。

漁火の点点点に居る夫　　　　　　　土田　欣之

集漁灯は、かがり火に始まり、石油集漁灯、アセチレン集漁灯、白熱灯、ハロゲン灯と進歩

| 6 月 23 日㊍ | 天気 | 行事 |
| 気温　　　　℃ | | |

沖縄慰霊の日、オリンピックデー

| 6 月 24 日㊎ | 天気 | 行事 |
| 気温　　　　℃ | | |

麦の日

し、現在は、明るく光の海中透過率が高いメタルハライド灯が普及した。

　あの漁火のどこかの船に夫がのっている。

漁火を灯す故郷の風物詩　　　佐野　玄冬

　船内の冷蔵冷凍設備の整備がすすみ鮮度保持能力が向上したことで、来遊するイカを待って操業する方法から、イカの群れを追って広く日本周辺の漁場を移動する方法へ変化してきた。

イカ刺しの身の厚さにも深む秋　　鈴木　青柳

　スルメイカは刺し身、煮物、焼きイカ、天ぷら、するめ、さきイカ等幅広く利用されている。新鮮で身が透明なイカは刺し身や寿司ネタに好かれている。また、イカの塩辛や松前漬はよく知られている。比較的安価な小型のイカはもち米を詰めたイカ飯で知られる。イカを細く仕上げた「イカそうめん」は観光客に好かれているという。食感がよく美味だ。

朝市で食うソーメンの烏賊の味　　伊達　力也

　　　（NHK学園　川柳講師　橋爪まさのり）

6 月 25 日⊕	天気	行事
	気温　　　　℃	

住宅デー

6 月 26 日🔘	天気	行事
	気温　　　　℃	

国連憲章調印記念日

初夏の味「唐川びわ」

さわやかな夏の風を感じる季節になると、愛媛県伊予市唐川地区の山では袋がけした、たくさんのびわの樹を見かけるようになります。

黄橙色の大きな果実はふっくらと丸みをおびた、愛おしくなる美しさ。手で皮をむいて丸かじりすると、みずみずしい果肉とさわやかで上品な甘みが口いっぱいに広がります。完熟したびわは初夏を感じるとびきりのおいしさ。

歴史のあるびわ

豊かな緑と穏やかな瀬戸内の恵みにあふれた温暖な地域、伊予市で大切に栽培されている「唐川びわ」は、伊予市の特に優れた地域資源が選ばれる「ますます、いよし。ブランド」に認定されている魅力いっぱいの果物。栽培の歴史は古く、明治35年には唐川地区で導入されており、地域のみんなに愛されています。

6 月27日㈪	天気	行事
	気温　　　　℃	

ちらし寿司の日、メディア・リテラシーの日

6 月28日㈫	天気	行事
	気温　　　　℃	

貿易記念日

とってもデリケート

　初冬に花を着け、冬の厳しい寒さを乗りこえ、3月頃に実にひとつひとつ手作業で袋掛けをします。短い「毛じ（もうじ）」に覆われた果実は新鮮さの証。果肉部分に触れないように持ち方にも細心の注意を払い、収穫と選果、荷造りを行います。

果肉だけでなく、葉も楽しめる

　健康に良いといわれるびわの果肉にはカロテンが多く含まれています。専用の園地で無農薬栽培された葉はお茶として楽しむことができます。色はワインレッドで、味はまろやか、甘い香り。唐川びわ葉茶生産研究所の「びわの葉茶」は夏バテや食中毒予防に効果がある健康飲料として人気があります。

短い旬の味

　JAえひめ中央では5月中旬から6月下旬ごろまで出荷しています。旬がとても短く、追熟

6 月 29 日㊌	天気		行事	
	気温	℃		

佃煮の日、新月

6 月 30 日㊍	天気		行事	
	気温	℃		

大祓、夏越祭

しないので、購入後はすぐに召し上がって。丁
寧に栽培した高品質な「唐川びわ」をぜひ、ご
賞味ください。

【お問い合わせ先】
JAえひめ中央（Tel：㈹089-943-2121）

（JAえひめ中央　峯 加奈子）

7月
July

鯛まつり
（愛知県豊浜）

●節気・行事●

半　夏　生　　2日
小　　暑　　　7日
七　　夕　　　7日
ぼ　ん　り　　15日
やぶ　入　り　16日
海　の　日　　18日
土　　用　　　20日
大　　暑　　　23日
土 用 の 丑　　23日

●月　　　相●

○満　月　14日
●新　月　29日

7月の花き・園芸作業等

花　き

　ジャーマン・アイリスの株分けと植付け。ハボタンの播種。ゴムノキ、ホンコンカボック、クロトンの取り木。多雨期の病害虫防除。暑さに弱い種類への日除けの設置。アジサイの整枝。庭木・花木の夏の剪定。生け垣の剪定。ザクロ、ドウダンツツジ、ウメなど落葉樹の緑枝挿し。

野　菜

　キュウリ、チシャ、ニンジン、ダイコンの播種。キャベツ、セルリ、チシャ、葉ネギの移植。夏ネギの定植。ナス、トマトの追肥。ナス、トマト、イチゴの灌水。ウリ類、ナス、キャベツに対する殺菌剤の散布。ネギに対する殺虫剤の散布。キュウリ、ナス、トマト、スイカ、カボチャの収穫。

果　樹

　カキの摘果。モモの袋はぎ。ミカンの追肥。ナシの灌水。ブドウの摘芯、誘引。ブドウの根接ぎ。ビワの播種。早生ナシ、早生リンゴ、中生モモ、ビワ、イチジクの収穫。リンゴ、ナシ、ブドウ、カキ、ミカンの病害虫防除。草生園の草刈り。

7月　暦と行事予定表

	節　気　・　行　事	予　　　定
1 （金）	社会を明るくする運動、全国安全週間、国民安全の日、富士山山開き、銀行の日	
2 （土）	**半夏生**	
3 （日）	ソフトクリームの日、七味の日、波の日	
4 （月）	米国独立記念日	
5 （火）	穴子の日	
6 （水）	サラダ記念日、庚申	
7 （木）	**七夕、小暑**、上弦の月	
8 （金）	質屋の日、中国茶の日	
9 （土）		
10 （日）	納豆の日、甲子	
11 （月）	真珠記念日	
12 （火）	洋食器の日	
13 （水）	盆迎え火	
14 （木）	検疫記念日、パリ祭、満月	
15 （金）	ぼん、中元、己巳	
16 （土）	盆送り火、国土交通デー、賽日、藪入り、閻魔詣り初伏、勤労青少年の日	
17 （日）		
18 （月）	〔●〕 海の日	
19 （火）		
20 （水）	土用、ハンバーガーの日、下弦の月	
21 （木）		
22 （金）	下駄の日	
23 （土）	**大暑、土用の丑**、ふみの日	
24 （日）	地蔵盆	
25 （月）	うま味調味料の日	
26 （火）	中伏	
27 （水）		
28 （木）		
29 （金）	アマチュア無線の日、新月	
30 （土）	梅干の日、プロレス記念日	
31 （日）		

暑い夏の苗づくり

昨今は、地球温暖化の影響で猛暑と少雨の夏になる年が多くなりました。秋冬どり野菜の種まきは、7～8月の暑い時期に集中しています。

【発芽適温】

アブラナ科やレタスなどの葉根菜類は15～25℃と低温です。育苗場所の選定、遮光資材の利用などで発芽適温に近づける高温対策を行います。白や銀色の育苗容器、光を反射し地温が上がりにくいマルチなどの資材があります。また、強い日差しで、発芽障害や葉焼けを起こすことがあるため、まき床の上に寒冷しゃのトンネルやヨシズなどを掛けて遮光します。

【育苗用土】

植え付け適期苗になるまでの肥料分と通気性、保水性を保持できる用土が必要です。育苗容器は128穴などのセルトレイ、少量の苗を作るときは7.5～9cmのポリポットを使います。

【かん水】

育苗容器に種まき前日にかん水して、土を落ち着かせておきます。種まき後は、種の2～3倍の厚さに覆土し、軽くかん水した後に新聞紙で覆います。発芽まで土の表面が乾かないように新聞紙上からかん水し、適湿を保ちます。発芽後は、土の乾湿に応じて行い、育苗後半は乾き気味にします。夏のかん水は早朝や夕方に行うのが原則です。

【病害虫の予防】

苗立枯病は高温多湿下で発病し、茎の地際部が侵されて立ち枯れます。新しい育苗用土を使いましょう。育苗期、幼苗期には防虫ネットや不織布のべたがけを行いましょう。

（神奈川県種苗協同組合　成松　次郎）

その7
上質な米と水が生む至高の1本　信越・北陸

言わずと知れた日本屈指の酒どころ。それだけに、鑑評会金賞受賞の有名どころから知られる名酒まで、バラエティ豊か。

特に北陸3県は水質の良さと精米歩合の高さにおいて高い水準にあり、もっとも贅沢な酒造りがされています。

【長野県】

この県で開発された「アルプス酵母」が、この県を一気に吟醸酒の名産地に押し上げました。華やかな香りとみずみずしい味わいが、この酵母を使った酒の特徴。

県全体としては、ふっくらとし、甘味が伴うやや濃醇タイプ。野沢菜など、山がちな土地特有の塩分の強い食事が、この味を作り上げました。

【新潟県】

「淡麗辛口」という酒の一大ムーブメントを作ったのがこの県。地酒ブームも、〝幻の酒〟と讃えられたここの「越乃寒梅」から始まりました、もっちりとした味わいの純米酒から飲み飽きなしない大吟醸など、探求の楽しみは、淡麗辛口以外にも豊富です。

【富山県】

新鮮な魚介類の宝庫・富山湾を抱くこの県の酒は、北国ならではの張り詰めたように引き締まった味わい。海の恵みを味わい深く引き立てます。

【石川県】

能登杜氏と言われる名杜氏たちの手によって、古来より「加賀の菊酒」と讃えられる美酒が造られてきました。北陸三県でももっとも濃醇で深味のある味わいなのは、「治部煮」に代表されるような、この地のしっかりとした味わいの料理に合うよう発達してきたからだと言われています。

【福井県】

越前和紙を生み出した上質の軟水から作り出されるこの県の地酒は、さらりとして柔らかいタッチの美酒揃いです。

（ライター・千羽　ひとみ）

7 月 1 日㈮	天気	行事
	気温　　　℃	

社会を明るくする運動、全国安全週間、国民安全の日、富士山山開き、銀行の日

7 月 2 日㈯	天気	行事
	気温　　　℃	

半夏生

月見草

月見草一番星が出はじめた　　麻生　葭乃

　夕方、白い可憐な花をつけ、翌朝にはしおれて紅変する。中南米が原産で、江戸時代末期に日本にもたらされたが、栽培が広がらずまれに目につく程度。これが本来の月見草。

一夜明け語り尽くした月見草　　石井　頌子

　通称、月見草とされているのは川原や野原に野生している待宵草（まつよいぐさ）や大待宵草（おおまつよいぐさ）を指すことが多い。これらの草花も外国からもたらされたものである。

月見草夢二のなみだ吸って咲く　石川　水木

　『待てど暮らせど来ぬ人を／宵待草のやるせなさ／今宵は月も出ぬそうな』。わずか三行の詩だが、竹久夢二の処女詩集の一編で哀愁のあふれた美しくメロディが愛好された。

　歌の流行が待宵草を宵待草（よいまちぐさ）にかえさせたともいわれる。確かに宵待草の方がロマンチックな雰囲気を纏（まと）っている。

お月さまと話のできる月見草　　長川　幸代
月見草月の光で咲きました　　吉道あかね

7 月 3 日●	天気	行事
	気温　　　　℃	

ソフトクリームの日、七味の日、波の日

7 月 4 日㊊	天気	行事
	気温　　　　℃	

米国独立記念日

『富士には月見草が似合ふ』の一文が、月見草の名を広めたともいえる。太宰治が昭和14年に発表した小説「富嶽百景」にある。前年、富士山を北側から望む天下茶屋に滞在した。乗り合いバスでのできごとが、先の一文を生んだ。

富士よりも気高い野心月見草　　　小谷　小雪

『3,778mの富士の山と、立派に相対峙し、みじんもゆるがず、なんと言うのか、金剛力草とでも言いたいくらゐ、けなげにすっくと立ってゐたあの月見草は、よかった。』そして富士には、の文脈である。

富士山の姿に惚れる月見草　　　久保田元紀

天下茶屋のある河口湖町では、月見草を町の花としていたが、平成の大合併で富士河口湖町となった。月見草は今も町の花だろうか。宵に咲いて朝には萎える月見草にとって開花ができる夜は待ちこがれていたものだ。

月見草夜だ夜だとはしゃぎだす　　　渡邊　蓮夫

（NHK学園　川柳講師　橋爪まさのり）

7 月 5 日㊋	天気		行事
	気温　　　　℃		

穴子の日

....

....

....

....

....

....

....

7 月 6 日㊌	天気		行事
	気温　　　　℃		

サラダ記念日、庚申

....

....

....

....

....

....

....

よこすか水なす　〜サラダもいけるシャキシャキナス〜

　夏野菜の代表はキュウリ、トマト、ナスといえます。キュウリは漬物や生、サラダに使われますが煮物には使われません。トマトは生やサラダ、煮物に使われますが漬物には使われません。

　ではナスはといえば、漬物や加熱して食べられますが生、サラダにはほとんど利用されません。それぞれの野菜には得意とする利用法があるのです。

　神奈川県は温暖な気候を利用した園芸の盛んな地域で、ナスについてみれば、明治時代の初期から自家採取により栽培されていました。市場出荷向けの栽培が始まると、昭和5年には「蔓細千成」や「真黒」といった品種が育成され、主要品種となっています。その後もナスの栽培は盛んで、昭和25年以降にも「改良橘真」が育成されています。

　生であまり利用されないナスですが、生やサラダで食べることができるのなら、ナスの需要はもっと広がります。

7 月 7 日㊍	天気	行事
	気温　　　　℃	

七夕、小暑、上弦の月

7 月 8 日㊎	天気	行事
	気温　　　　℃	

質屋の日、中国茶の日

　神奈川県農業技術センターでは、平成15年から、（株）サカタのタネと共同で、生やサラダでも美味しく食べることのできるナスの育成に取り組みました。選抜・検定栽培や現地試作での高い評価を得た系統を「サラダ紫」と命名し、品種登録出願し、平成21年に品種登録されました。

　栽培方法は普通のナスと同じで、定植は5月の連休に行い、120〜130gで収穫します。6月下旬から収穫が始まり、7月から10月が出荷のピークです。「サラダ紫」は神奈川県内の量販店や直売所などで販売されています。

　神奈川県内でも横須賀は「サラダ紫」の栽培が盛んで、生産量も多く、平成28年度には「よこすか水なす」としてかながわブランドに登録されました。

（小清水　正美）

7 月 9 日㊏	天気		行事
	気温	℃	

_____
_____
_____
_____
_____
_____
_____

7 月 10 日㊐	天気		行事
	気温	℃	

納豆の日、甲子

_____
_____
_____
_____
_____
_____

水田を活用した露地野菜栽培における簡易スプリンクラーの効果

　島根県は長年米作り中心の農業を行ってきましたが、米の価格低迷が続く中で、米依存の体質から脱却し、収益性の高い水田農業を推進しています。この取り組みでは、水田を活用しながら機械化や省力化が可能なブロッコリーやキャベツなどの野菜を「水田園芸品目」と位置づけ、生産から販売までの支援を充実させています。

　取り組みの中で生産面の課題は、水田ほ場は野菜栽培に対応した設備が無いため、栽培に不可欠な灌水は雨水頼みとなり、高温・干ばつの影響を受けやすいことがあります。

　そこで、島根県農業技術センターでは必要な時に必要な量の灌水を低コストで行うために、簡易スプリンクラーを活用した実用化研究を現地と共同で行う「現場タイアップ研究」として実施しましたので紹介します。

　簡易スプリンクラーは市販され（ポンプ込み約9万円）、誰でも簡単に導入が可能です。また一式あたりの最大灌水面積は10aであるた

7 月11日㊊	天気		行事	
	気温	℃		

真珠記念日

7 月12日㊋	天気		行事	
	気温	℃		

洋食器の日

め、小規模ほ場に適した機材です。さらに、設置及び撤去が容易なため、複数のほ場間の移設も短時間で可能です。

　この機材により定植後の活着を確実にし、初期生育を促進させたことで、無設置区と比較して、ブロッコリーでは花蕾重が35％増加、キャベツでは結球重が22％増加しました。さらに、生育の斉一化により収穫期間の短縮が可能となり、収穫にかかる労働時間の削減が可能となります。ただし、強風時は風上側が十分に灌水さ

れないことがあるため、天候に合わせてスプリンクラーの設置場所や時間を調整する必要があります。

　今後は水田において露地野菜の安定生産に寄与する技術として、農業者への普及を推進し、更なる「水田園芸」の拡大に取り組んでいきます。

（島根県農業技術センター 水田園芸科

　　　　　　　　　　　　齋藤　晃大）

7 月 13 日㊌	天気	行事
	気温　　　℃	

盆迎え火

7 月 14 日㊍	天気	行事
	気温　　　℃	

検疫記念日、パリ祭、満月

山梨県産農畜水産物ブランド 「おいしい未来へ　やまなし」

　山梨県は、県産農畜水産物のPRを強力に進めていくため、新たなキャッチフレーズ「おいしい未来へ やまなし」とロゴマークを作成しました。

　本県では、生産量日本一を誇るモモやブドウ、スモモをはじめ、富士の介、やまなしジビエなど、優れた農畜水産物等が数多く生産・出荷されています。また、地球温暖化の抑制に寄与する「4パーミル・イニシアチブ」や、アニマルウェルフェアなど、農業分野から持続可能な開発目標（SDGs）の実現に貢献する取り組み等、本県ならではの先進的で特徴ある取り組みをしています。新たなキャッチフレーズとロゴマークは、多くの場面で消費者の目に触れていただけるよう、幅広い県産農畜水産物等を対象としています。

　具体的には、出荷規格を満たす果樹や野菜、県ブランド銘柄の基準を満たす「甲州牛」、「甲州富士桜ポーク」、「甲州地どり」、「富士の介」、「やまなしジビエ」等があります。これらに加え、

7 月15日㊎	天気		行事	
	気温	℃		

ぼん、中元、己巳

7 月16日㊏	天気		行事	
	気温	℃		

盆送り火、国土交通デー、賽日、藪入り、閻魔詣り、初伏、勤労青少年の日

「4パーミル・イニシアチブ」や「やまなしGAP」など特別な生産方法や取り組みにより生産されたもの、県果樹共進会等において優れた取り組みが認められた生産者が生産したものについても対象となります。

　この新たなキャッチフレーズとロゴマークを通じて、おいしさのその先を行く、やまなしの魅力ある農業について、多くの消費者に知っていただきたいと思います。

おいしい未来へ
やまなし

（山梨県農政部　販売・輸出支援課）

7 月 17 日 ㊐	天気	行事
	気温　　　　℃	

---

7 月 18 日 ㊊	天気	行事
	気温　　　　℃	

🎌 海の日

お茶の香りで癒されてみませんか

　日頃、皆さんが飲んでいるお茶は、1000年以上も前から長く日本人に親しまれてきました。その理由として、お茶が体に良いことは勿論、その味や香りが良いこともあげられます。美味しくなかったら、いくら体に良くても飲み続けることができません。美味しさを決定する8割は鼻で感じる香り、2割は舌で感じる味であると言われています。従って、美味しさを決定するのは「香り」といっても過言ではありません。そこで、お茶の香りの正体を探るべく、100年

ほど前からお茶の香りの研究が行われています。これまで、お茶の香りについて非常に多くのことがわかり、その魅力が明らかになりつつありますが、今回はその一部を紹介します。
　急須でお茶を淹れたり飲んだりした時に感じるお茶の「香ばしさ」は我々の心を和ませてくれます。また、お茶屋さんの軒先から漂う香ばしい香りは、心を癒してくれることがあります。そこで、お茶の香ばしさの正体を探ることにしました。お茶の香ばしさを引き出すため、焙煎

7	月 19 日 ㊋	天気		行事	
		気温	℃		

7	月 20 日 ㊌	天気		行事	
		気温	℃		

土用、ハンバーガーの日、下弦の月

してから実験に用います。そして、お茶から香りを取り出し、人の鼻を検出器とした分析機器で、実際に人の鼻が感じる香り成分を特定しました。その結果、20の香り成分がお茶の香ばしさに関与することがわかりました。中でも、アルキルピラジンという香ばしく甘い香り成分とフラネオールというキャラメルのような甘い香り成分がお茶の香ばしさに強く関与することがわかりました。ピラジンは血流を促進し、脳をリラックスさせる作用があることが科学的に証明されています。またフラネオールは穏やかな甘い香りで安心感を与える成分であることがわかっています。このように、お茶の香ばしさは人を癒す効果が期待できます。コロナ禍で疲弊した心を香ばしいお茶の香りで癒してみてはいかがでしょうか。

（農研機構 果樹茶業研究部門 水上　裕造）

7 月21日㈭	天気	行事
	気温　　　℃	

---

7 月22日㈮	天気	行事
	気温　　　℃	

下駄の日

兵庫県産いちじく　～完熟ならではの甘みと香り～

　素朴で、甘く上品な香りをもつ夏の果実「兵庫県産いちじく」は、神戸、阪神、播磨及び淡路地域など、温暖な県南部で栽培されています。いちじく栽培が盛んな川西市は、現在、日本のいちじく市場の約7～8割を占める品種、「桝井ドーフィン」の発祥の地としても知られています。

　明治42年に広島県の桝井光次郎氏がアメリカから西洋イチジク（ドーフィン種）の苗木を持ち帰り、各地で試行錯誤を重ね、川西市で栽培

に成功した事からこの名前が付けられ、その後、県内を始め全国に広まりました。

　兵庫県で開発された栽培法「一文字整枝法」は、2本の主枝を一直線上に配置する整枝方法です。枝を誘引して垂れ下がりを防ぐことで、日当たりが良くなり、果実品質の向上や、作業・収穫労力の軽減ができる技術として、全国に普及しています。

　また、日本有数の産地である川西市では、都市近郊の立地を活かして、樹上で完熟させたい

7 月23日㊏	天気		行事
	気温	℃	

大暑、土用の丑の日、ふみの日

7 月24日㊐	天気		行事
	気温	℃	

地蔵盆

ちじくの朝どり出荷を行っています。糖度が高く、香りと酸味が特徴のいちじくは、市場や量販店から高い評価を得ています。

　いちじくはカルシウムやカリウム、鉄などのミネラルや、整腸作用のある食物繊維ペクチンなど、健康維持に効果の高い成分も豊富に含まれており、汗をたくさんかいてバテやすくなるこれからの季節に、ぴったりの果物です。色ツヤが良く、ふっくらと熟れたものを選ぶのがポイントです。

　皮が薄く収穫後の日持ちが短いため、採りたてを生で食べるのが一番のおすすめです。

　また、県内各地ではいちじくジャムやゼリー、ワイン、カレーなど、いちじくの美味しさをぎゅっと詰め込んだ加工品も数多く販売されており、県内の直売所等で購入できます。

　これからが旬の甘くて美味しい兵庫県産いちじくを、ぜひ味わってみてください。

（兵庫県農政環境部 農産園芸課

　　　　　　　　　　　　盛元　菜月）

7 月25日㋊	天気	行事
	気温　　　　℃	

うま味調味料の日

7 月26日㊋	天気	行事
	気温　　　　℃	

中伏

一度は行ってみたい、全国秘湯めぐり⑦

開湯1300年の名湯は加賀百万石の宝
お湯の鮮度が自慢の「粟津温泉」

　粟津温泉は奈良時代の高僧、泰澄大師が開いたといわれる北陸最古の名湯。

　特に美肌の湯といわれる芒硝泉は、無色透明で純度はなんと100％。お湯は飲むこともできて、身体の内外両方から癒しの効果を発揮します。お湯はほのかな塩味と酸味を感じさせる柔らかな味わいで、水筒やペットボトルに詰めて持ち帰るファンも多いそうです。

　粟津温泉では各旅館がそれぞれ自家堀りの源泉を持っているため、宿によって泉質が微妙に違います。時間があれば、温泉郷の宿を巡って湯くらべを楽しむのもいいでしょう。

　歴史や建築に興味のある方は、ギネスブックにも認定された世界最古の宿、創業約1300年の「法師」を尋ねて、古き良き温泉文化に触れてみてはいかがでしょう。

　この粟津のお湯をこよなく愛したのが加賀

7 月27日㊌	天気	行事
	気温　　　　℃	

7 月28日㊍	天気	行事
	気温　　　　℃	

百万石の名君、前田利常公。利常公が粟津温泉を藩の宝と呼んで珍重したのは有名です。

さて、粟津ではあまり聞き慣れない「お湯の鮮度」という言葉をよく耳にします。

温泉にも鮮度が大切なのか、観光協会に聞いてみると、湧きあがったお湯は新鮮なほど吸収作用も高く、全身への効果が高いのだそうです。その点、全てのお宿が自家掘りの源泉を持っていて、常に新鮮なお湯が沸き出している粟津の湯なら鮮度は満点。なるほどお湯の新鮮さにこだわるわけです。

粟津の芒硝泉は、温泉の中でも血管拡張作用に優れて穏やかに血行を促すため、血液循環が原因で起こる慢性病や障害にはぴったり。

特に神経痛や高血圧症、動脈硬化症や筋肉痛、痔疾などは効果を発揮します。

また、近年は全身の細胞を活性化してくれる「若返りの湯」としての評価が高まり、シニア層の人気が急上昇しているそうです。

7 月29日㊎	天気		行事	
	気温	℃		

アマチュア無線の日、新月

7 月30日㊏	天気		行事	
	気温	℃		

梅干の日、プロレス記念日

宮崎の特産柑橘「へべす」

「かぼす」「すだち」と同じような香酸柑橘で、宮崎県で栽培されている「へべす」をご存じでしょうか?

「へべす」は8月から10月上旬が旬の特産柑橘で、平成18年に「みやざきへべす」としてみやざきブランドに認証されています。

名前の由来は、今から約170～190年前の江戸時代末期に、県北にある旧富高村(現在の日向市)の長宗我部平兵衛翁が発見し、庭先で栽培・接ぎ木して近隣の農家に分け与え、後世に伝え

たことから「平兵衛酢(へべす)」と呼ばれるようになったとか。

古老の話によると、昔は娘を嫁がせるときにはかならず「へべす」の苗木をもたせるのが慣習となっていたようです。

現在では、日向市のみならず、都城市や串間市等の県内で広く栽培されています。

「へべす」の美味しい活用法は、酢を絞って水炊き、湯豆腐、いわしや太刀魚などの刺身に使うも良し、冷やしソーメンのつゆに皮ごとす

7 月 31 日 ㊐	天気	行事	
	気温　　　　℃		

コラム

ドアの内開きと外開き

　玄関などのドアは、室内の方に開く「内開き」ドアと、室内の外側の方に開く「外開き」のドアあります。このドアの開く方向はどのような意味があると思いますか？

　欧米では内開きのドアは、人を招き入れる意味があり、外開きのドアは、外敵や雨風から身を守る意味があると言われています。

　外から人を招き入れることが多い欧米では、玄関は内開きのドアが多いのですが、日本では特に決まりや傾向は

なく、施主さんの好みで選ばれているようです。

　日本のマンションやアパートの玄関ドアはたいてい外開きが多いのですが、その理由は明快です。つまり、居住空間の狭い日本では、同様に玄関スペースも狭いので、内開きのドアにすると靴の置き場に困ってしまうといった問題が出てくるためだと言われています。

りおろして添えるも良し、輪切りにしたヘベスを焼酎やカクテルに入れて楽しむのも良しと、爽やかな香りと程よい酸味は料理を選ばず、食欲をそそります。

　また、栄養面でも特徴があります。人が生きていくのに必要な必須アミノ酸9種類のうち8種類が含まれており、フラボノイドの一種でがん細胞の増殖抑制効果などもあると言われている「ナツダイダイン」が、他の柑橘に比べて多く含まれるという研究データもあります。

　まだまだ全国的には知名度が低い「へべす」ですが、是非一度味わっていただきたいですね。

（宮崎県庁農産園芸課）

ブルーツースはとても便利な無線通信

　ブルーツース（Bluetooth）をご存知でしょうか？　ブルーツースは無線通信の規格の1つで、対応した機器同士をケーブル接続無しでデータをやり取りできるというものです。ワイファイ（Wi-Fi）は多くの人がすでに家で利用しているので知られていますが、ブルーツースはそれほどでもないようです。

　ブルーツース無線の有効範囲はおよそ10m以内。国際標準規格のため、対応機器なら各国のどんなメーカー同士でも接続可能です。特にお勧めなのがブルーツースイヤホンです。多少音質は落ちるでしょうが、スマホのイヤホンジャックに挿してつながったイヤホンコードは意外と邪魔なものなので、それがいらないことは非常に快適です。

　ワイファイとブルーツースの大きな違いは通信範囲と消費電力にあります。またワイファイは複数の機器を接続できることが特徴。一方のブルーツースは基本的に1対1での通信に向いています。そのため、ワイファイはもっぱらルーターなどのたくさんのスマホやPCと接続するために使われ、ブルーツースは、消費電力が少ないことを生かして、小型のイヤホンなどで使われるわけです。

　よく街を歩いている若者が、電話機を持っていないのに友達と会話しているようにしゃべっていることに出くわします。これは耳にブルーツースイヤホンが入っている場合が考えられます。実際に使い始めるとその便利さに感激すると思います。電話を受けても両手が空いているのでメモも楽です。

　そしてブルーツースイヤホンは非常に安く買えるのもメリット。500円から数万円のものまでありますが、音質と電池持続時間の違いなどありますが、どれもちゃんと聞けるので最初は安いものでOKです。

　安いもので物足りなくなったら少し高い機種の購入も考えてみましょう。高級機種になるとバッテリーのもちが良くなる、音質が良くなるなどのメリットがあります。

インターネット通販の功罪（その2）

　今回はこれの「罪」的な経験について、お話しします。

　まもなく立冬という頃、実家のファンヒーターから異音が出始めました。

　そして、またもやネット通販で手ごろな商品を見つけたので、通販会社から直接、実家へ配送するべく、その住所等を入力して手配完了です。寒がりの両親に親孝行ができたと一人悦に入りました。

　ご存じのように、通販サイトは実売店舗のように対面式ではないため、住所等々に加え、Eメールアドレス、クレジットカード番号まで、様々な個人情報を求めます。

　そして、今回は「実家の住所」という、"新たな個人情報を得た"通販サイトから、ホットカーペットなど暖房関連商品、マンション等不動産のセールスメールが連日、わんさと着信するようになりました。介護老人保健施設の紹介まで着信する始末です。

　編集子も、これほど波状攻撃的なセールスがあるとは夢にも思わず、不要メールの削除で相当の時間が取られて、これには閉口しました。

　確かにネット通販は街中で入手できない商品、豊富な在庫や種類を持ち、価格も魅力的です。その一方で、いったん個人情報を手にすれば、強大なAIシステムが高度に分析して、まさに「売らんかな」の商法には、恐れすら感じます。

　対面式でないが故に、個人情報を「喉（ディスプレー）」から手が出るほど欲しがります。そして、いったん、知った個人情報は蓄積され、消去されることはないのでしょう。

　皆さんも、ネット通販に限らず、個人情報を外部に伝える際は、ぜひ慎重にご対応下さい。

　追記：編集子がセールスメールに一切、応答しなかったためか、約6か月後には、ぱったりと途絶えました。現金なものです。

8月
August

竿　燈
（秋田県秋田市）

●節気・行事●

広島平和記念日	6日
立　　　　秋	7日
長崎原爆の日	9日
山　の　日	11日
月遅れぼん	15日
終戦記念日	15日
処　　　　暑	23日

●月　　　相●

○満　　月	12日
●新　　月	27日

8月の花き・園芸作業等

花　　き

　パンジー、デージーの播種。キク福助作りのための挿し木とわい化剤処理。花壇、鉢植え、庭木への追肥。サルビア、マリーゴールド、コスモス、ダリアなど花壇草花の切り戻しと挿し木。秋バラのための夏剪定。庭木、鉢物の台風対策。

野　　菜

　ダイコン、20日ダイコン、カブ、早生菜類、チシャ、ミツバの播種。セルリ、チシャの定植。菜類、ダイコンの間引き。キュウリ、ナス、ホウレン草、スイカ、ネギ、キャベツ、ショウガの収穫。ダイコン類、菜類、ネギ類、ニンジンの病害虫防除。

果　　樹

　ナシ、モモ、ウメ、ミカン、リンゴの芽接ぎ。リンゴ、ナシの袋はぎ。ミカン、カキの追肥、灌水。ビワの播種。早生ナシ、早生リンゴ、モモ、ブドウ、カキ、リンゴの病害虫防除。果樹園の除草。

8月 暦と行事予定表

日	曜	節 気 ・ 行 事	予 定
1	月	水の日、観光の日	
2	火	カレーうどんの日	
3	水	鋏の日	
4	木	箸の日	
5	金	タクシーの日、上弦の月	
6	土	広島平和記念日	
7	日	立秋、鼻の日	
8	月	算盤の日、パチンコの日	
9	火	長崎原爆の日	
10	水	帽子の日、道の日	
11	木	📷 山の日	
12	金	満月、旧盆	
13	土	月遅れ盆迎え火	
14	日		
15	月	月遅れ盆、終戦記念日、全国戦没者追悼式、末伏	
16	火	月遅れ盆送り火	
17	水	パイナップルの日	
18	木	米の日、ビーフンの日	
19	金	俳句の日、下弦の月	
20	土	交通信号の日	
21	日		
22	月	チンチン電車の日	
23	火	処暑、天赦日	
24	水		
25	木	即席ラーメン記念日、東京国際空港開港記念日	
26	金		
27	土	新月	
28	日	民放テレビスタートの日、二日灸	
29	月	焼き肉の日	
30	火	富士山測候所記念日、冒険家の日	
31	水	野菜の日	

気象災害に備える

8月は台風、大雨、干ばつなど気象災害の多い季節になります。種まき、育苗、植え付け時の気象災害や病害虫リスクを避ける方法などを紹介します。

【高畝と排水】

水が溜まりやすい畑では、高畝にします。速やかに水が引くように、畝間と畑の周囲に排水溝を作っておきましょう。

【べたがけ】

不織布のべたがけは、ダイコン、コマツナなど直まきする野菜の幼苗保護に有効です。また、畑に植え付けた苗を風雨や害虫から守るにも効果的です。

【マルチ】

畑の乾燥防止のため、地面にワラやポリフィルムでマルチをして蒸散を防ぎます。光を反射する白マルチは、地温を下げる効果があります。

【土寄せ】

台風が予想されるときには間引きを延期し、子葉の下まで土寄せします。少し大きな株では十分な量を土寄せし、株のぐらつきを防ぎます。

【ネット被覆】

強風から野菜を守るにはトンネル状に被覆するのが最も効果的で、目合いの細かいネット（1mm以下）は害虫対策に最も効果があります。

【まき直し】

高温・乾燥や病害虫、大雨により、発芽に失敗することも起こります。秋野菜の種まき適期は意外と短く、遅くなると冬までに収穫が間に合わないこともあり、すぐにまき直しを考えましょう。ハクサイ、レタスは低温期に入るまでに一定の葉数が確保された後、球を形成します。遅まきやまき直しのときは、低温期でも結球性に優れる品種を選びましょう。ダイコンは種まき適期の幅のある品種、低温期でも太りのよい品種を選びましょう。

（神奈川県種苗協同組合　成松　次郎）

その8
ご当地料理にあう濃厚甘めの味　東海地方

この地の八丁味噌やたまり醤油、みりんなどと同じように、濃厚で甘めの味わいが東海地方の酒の特徴。酒の味わいは、食から影響大であることが見て取れる好例です。

【静岡県】

昭和61（1986）年、全国新酒鑑評会でセンセーショナルな出来事が起きました。この県から出品された17点が入賞、そのうち10点が金賞に輝いたのです。

以来、吟醸産地として一躍注目を集めるようになりました。その原動力となった「静岡酵母」による酒は、リンゴやバナナを思わせる果実香と繊細でエレガントな味わいが特徴です。

【愛知県】

前述した通り、濃厚で甘めの味わいが東海地方の酒。それがもっとも色濃く出ているのが、この県の酒ではないでしょうか。たまり醤油で煮込んだ魚の煮付けや味噌カツなどによく合いますが、最近ではこうした酒だけに止まらず、みずみずしい果実香を持った、華やかで洋風オードブルにもよく合う新タイプの酒も誕生しています。

【岐阜県】

山間部の飛騨地方と木曽川等河川流域の美濃地方。異なる表情を持つこの県は「飛山濃水」と讃えられ、酒にも2つの表情を与えています。飛騨地方の骨太で濃醇な辛口と、濃醇を主軸にしながらも、甘味を感じさせる美濃の酒といった具合です。飲み比べが楽しい県と言えるでしょう。

【三重県】

仕込み水が軟水のこの県の酒は、ふっくらまろやかな、やや甘い味わいが特徴。それにキレのある酸味が加味され、飲み飽きしない名酒が揃います。山廃仕込みや生酛造りといった手の込んだ酒造りに長けた県ですので、こうした酒を選んでみるのも一興です。

（ライター・千羽　ひとみ）

8 月 1 日㉖	天気	行事
	気温　　　　℃	

水の日、観光の日

8 月 2 日㉫	天気	行事
	気温　　　　℃	

カレーうどんの日

一度は行ってみたい、全国秘湯めぐり⑧

丹沢の自然に彩られた都市近郊の別天地
美人の湯で名高い「中川温泉」

　都心の近郊でありながら、今も手つかずの自然が色濃く残る、西丹沢の山麓。

　ハイキングやトレッキングの人気スポットでもある丹沢の山々に囲まれた中川温泉は、今でも野生のサルやシカが姿を現すという清流沿いの自然が何よりの魅力です。

　6月中旬には中川温泉一帯でキラキラ光る蛍の舞が見られ、美しい初夏の風物詩になっています。

　「信玄の隠し湯」の異名をとる中川温泉には約400年前、北条氏との合戦で負傷した武田軍の将兵を入浴で療養させたという話が残っており、古くから怪我や刀傷に効く秘湯という定評があったようです。

　時代が変わって現代では、中川温泉最大のセールスポイントは、「美肌の湯」。

　中川温泉の他にはない特徴といえば、お湯の

8 月 3 日㊌	天気	行事
	気温　　　　℃	

鋏の日

8 月 4 日㊍	天気	行事
	気温　　　　℃	

箸の日

アルカリ度が極めて強いことです。

　pHが10以上にもなる強アルカリの泉質が、「美人の湯」といわれる理由。

　お湯のアルカリ度が強いため、皮膚の表面を軟化させ、皮膚の脂肪や分泌物を洗い流して、お肌をつるつるにするのです。

　お湯の感触はトロリと濃厚で、「まるで美容液のよう」と感激する女性客も多いそうです。

　そのほか温泉の適応症としては、自律神経失調症や不眠症、うつ症状や不安神経症などメンタルな病にも効果あるといいます。

　なるほど、これだけ自然豊かな環境でゆったりとお湯に浸かれば、気持まで元気になるのは当たり前かもしれません。

　なにより、都心からわずか1時間半程度で

　静かな秘湯への小旅行が叶うのですから、これはちょっと得した気分になるはず。

　日帰りで行ける温泉施設も多いので、気軽に出かけてみてはいかがでしょう。

8 月 5 日㊎	天気	行事
	気温　　　　℃	

タクシーの日、上弦の月

8 月 6 日㊏	天気	行事
	気温　　　　℃	

広島平和記念日

県産食材100%「ぐんまのすき焼き」好みの肉・野菜でアレンジ楽しむ料理

　群馬県では、標高差に富んだ地形や豊富な水、長い日照時間などの自然条件を生かし、1年を通して多彩な農畜産物が生産されています。そんな群馬の食材を満喫するには、すき焼きが最高です。すき焼きの食材が全て県産でまかなえる「すき焼き自給率100％」の県、ぐんまのすき焼きの魅力をお伝えします。

　まず、主役のお肉ですが、上州牛・上州和牛など国内外から高い評価を受けているブランド牛があります。また、さっぱりとした脂が特徴

であきない美味しさの麦豚をはじめ、群馬県産豚肉の銘柄は、全国屈指の数を誇ります。銘柄が多いのは、卸売事業者などの肉のプロ達が、ブランドとして売り出そうと品質を認めた証です。豚肉は、群馬県民にとってなじみが深く、「豚すき」も一般的です。さらに、県育成品種の上州地鶏には、疲労感の軽減効果が期待できる成分が豊富に含まれています。この上州地鶏で楽しむ「鶏すき」も健康志向の方におすすめです。牛、豚、鶏と好みに応じて群馬のお肉を満喫で

8 月 7 日 ㊐	天気	行事
	気温　　　　℃	

立秋、鼻の日

8 月 8 日 ㊊	天気	行事
	気温　　　　℃	

算盤の日、パチンコの日

きます。
　次に野菜などの農産物です。しらたきの原料であるこんにゃくいもは全国生産量の９割以上が群馬県産です。このシェアが「すき焼き自給率100％」を可能にしています。また、全国に名をはせる下仁田ねぎの旬は12月から２月と、すき焼きシーズンと重なります。とろけるような舌ざわりと、口の中に広がる甘みと香りは、すき焼きと相性抜群です。
　他にも白菜、春菊、生しいたけなど、生産量

全国５位以内に入る農畜産物が20種類以上ある群馬県では、年間を通して多彩な食材が手に入ります。夏には旬のトマトや梅を使った「夏すき」など、季節に応じたすき焼きを食すのもおもしろいかもしれません。

（群馬県庁農政部 ぐんまブランド推進課
小野関　智洋）

8 月 9 日㊋	天気		行事
	気温	℃	

8 月 10 日㊌	天気		行事
	気温	℃	

樹木疫病禍

　新型コロナウイルスの世界的な大流行は、私たちの社会や生活に大きな損害を与えました。一方で森林でも、病気による大きな被害が起こっています。気候変動や違法伐採による森林の縮小はよく知られていますが、病虫害による樹木の大量枯損も各国で問題になっているのです。特に重視されている病気の１つが樹木疫病です。

　小さな微生物が大きな樹木を枯死させるのは中々信じがたいですが、この疫病菌は水の中を泳いだり雨滴で分散したりして周囲に散らばり、葉や枝、幹に感染し、壊死を引き起こします。作物ではジャガイモ疫病が有名ですが、その仲間で樹木を枯死させる種類がいくつかいるのです。土の中で根を腐らせる種類も多く、ヨーロッパでは原因不明の樹木の衰退の原因が、実は樹木疫病であったということがよくあります。このため、北米、ヨーロッパ、オーストラリアでは、樹木疫病は森林生態系における重大な脅威の１つと位置づけられています。被害は

天気		行事	
気温	℃		

◖▣◗ 山の日

天気		行事	
気温	℃		

満月、旧盆

苗畑や人工林でもよく報告されており、イギリスではカラマツの大量枯死の原因として問題になっています。

　この樹木疫病菌は、分離や診断が難しいことから、日本国内における被害実態はつかめていませんでした。しかし最近、日本で樹木疫病によるウルシ林の衰退が問題になりつつあることが分かってきました。また、ブルーベリー園での被害も報告されており、身近なところでの被害が目立ってきました。幸い国内の森林での大きな被害はまだ報告されていません。樹木疫病の被害が顕在化する要因についてはまだ十分には分かっていませんが、一説には気候変動や、盛んな物流による新たな場所への侵入が、被害発生と拡大の要因と言われています。

（森林研究・整備機構 森林総合研究所
きのこ・森林微生物研究領域　升屋　勇人）

8 月 13 日㊏	天気	行事
	気温　　　　℃	

月遅れ盆迎え火

8 月 14 日㊐	天気	行事
	気温　　　　℃	

砂丘の恵み、鳥取砂丘らっきょう

　鳥取県のらっきょう栽培の歴史は、参勤交代の付け人が小石川薬園かららっきょうを持ち帰ったことに遡ります。当時は自家用の少量栽培のみでしたが、鳥取砂丘に隣接した地域（現鳥取市福部町）では大正3年から本格的に生産が開始され、今では農協や生産者、関係機関が一丸となって一貫した生産販売体制を構築し、鳥取砂丘らっきょうとして鳥取県を代表する特産品の1つになっています。

　鳥取砂丘らっきょうが長い間生産されてきた

のには、いくつか理由があります。

　1つには、鳥取砂丘らっきょうの特徴が、この地域の土壌に適していたためです。鳥取砂丘周辺の砂質畑は腐植が少なく、保水力・保肥力ともに乏しい土壌とされています。こうした厳しい環境では鱗片が薄く幾重にも重なるため、身が締まり歯切れのよい、シャキシャキとした食感を生み出すのです。さらには栄養素に乏しいこと、砂粒が細かく隙間なく詰まり光を遮断することから、色白に仕上がるという特徴も併

8 月15日㊊	天気	行事
	気温　　　℃	

月遅れ盆、終戦記念日、全国戦没者追悼式、末伏

8 月16日㊋	天気	行事
	気温　　　℃	

月遅れ盆送り火

　せ持っていました。
　２つ目に、らっきょうの生産が地域の活性化と結びついていたためです。鳥取のらっきょう栽培は手作業が多く、植え付けは１株１株手で植えていき、収穫時の根切り作業も機械にはできない伝統的な切り方で１つずつ丁寧に行います。こうした手作業は福部町に多くの雇用を生んでおり、らっきょう栽培が地域に深く根差した大きな理由となっています。
　長年の歴史、一貫した生産販売体制、鳥取砂丘という地域に根差した特性、そして産品と地域の結びつき。これらの特色が評価され、「鳥取砂丘らっきょう」は平成28年にGI登録を受けました。鳥取ならではの砂丘の恵みを、ぜひご賞味ください。

（鳥取県食のみやこ推進課　岡崎　司馬）

8 月 17 日㊌	天気	行事
	気温　　　　℃	

パイナップルの日

---

8 月 18 日㊍	天気	行事
	気温　　　　℃	

米の日、ビーフンの日

ICTデバイスを活用した黒毛和種の発情検知技術

　牛の繁殖のほとんどは人工授精や受精卵移植など人為的な交配によって行われています。特に黒毛和種の繁殖経営においては、交配の大半が人工授精によって行われています。人工授精によって妊娠が成立するためには、発情開始時刻から推定される適切な時刻（適期）に人工授精を行う必要があるため、発情を確実に見つけることが非常に重要です。牛の発情を見つけるための指標として、他の牛に後から乗駕されても（乗りかかられても）逃げずに受け入れる〝乗駕許容行動（standing：ST）〟をはじめとした発情時の特別な行動があります。しかし、夏季の暑熱環境下において、乗駕許容行動を伴わない不明瞭な発情が多発することが報告されており、発情を見逃す大きな要因となっています。発情の見逃しは繁殖成績を低下させる重大な問題であることから、不明瞭な発情も見つけることができる発情検知システムが求められています。これまでに、テレメトリック（遠隔測定）な歩数計や活動量センサーといったICTデ

8 月19日㊎	天気		行事	
	気温	℃		

俳句の日、下弦の月

8 月20日㊏	天気		行事	
	気温	℃		

交通信号の日

バイスが牛の発情検知に有効であることが示されてきました。そこで、テレメトリックな歩数計の黒毛和種における発情検知精度について検証しました。その結果、STを伴う通常の発情も不明瞭な発情も発情時には歩数が増加しており、いずれの発情も歩数計によって90%以上検知できることが明らかになりました。さらに、歩数計で検知された発情から推定される適期に人工授精を実施したところ、不明瞭な発情を示した牛でも通常の発情を示した牛と同じように妊娠が可能であることが明らかとなりました。以上のことから、テレメトリックな歩数計は発情を検知し、黒毛和種の繁殖効率を向上させるために非常に有効であることが示されました。

（農研機構　九州沖縄農業研究センター
　　　　　　　　　　　　　法上　拓生）

8 月 21 日 ㊐	天気	行事
	気温　　　　℃	

8 月 22 日 ㊊	天気	行事
	気温　　　　℃	

チンチン電車の日

ポーク玉子がおにぎりになって大ブーム

　沖縄で最近気軽なテイクアウト食として人気を集めているのが、ご飯で玉子焼きとランチョンミートを挟んだ「ポークたまごおにぎり」です。

　もともと沖縄の食堂ではフライパンで焼いたランチョンミートとオムレツ風の玉子焼きを定食仕立てにした「ポークたまご」が定番メニューで、身近なソウルフードとして県民に愛されてきました。

　沖縄では第2次世界大戦後の占領時代、米軍によって缶入りポークランチョンミートが持ち込まれ、やがてそれが「ポーク」という略称で広く普及していったのです。

　その後一般的な食材として定着した「ポーク」は、チャンプルーや炒飯の具材としてなくてはならないものになり、沖縄のスーパーにはアメリカ製やデンマーク生まれのポーク缶がズラリと並んでいます。

　こうしてすっかり庶民の味になった「ポーク玉子」が、お弁当やテイクアウト用のファスト

| 8 月23日㊋ | 天気 | 行事 |
| | 気温　　　℃ | |

処暑、天赦日

| 8 月24日㊌ | 天気 | 行事 |
| | 気温　　　℃ | |

フードとして注目を集めるようになったのは、スパムを挟んだ「おにぎりらず」が話題になった2000年頃から。

　沖縄の弁当屋やコンビニにはポーク玉子を挟んだ「ポークたまごおにぎり」が登場し、その親しみやすい味がすぐに受け入れられました。今ではおにぎり専門店の「ポークたまごおにぎり本店」がたくさんの支店を出して、観光客にもお馴染みの味になっています。

　「おにぎり本店」には沖縄ならではの人参し

りしりを挟んだものやエビフライが1匹まるごと入ったエビタルにぎり、ゴーヤの天ぷら入りのものなど、ユニークな具材が揃って、県民の舌を楽しませています。

　ちなみによく聞く「スパム」という呼び名はランチョンミートの総称ではなく、アメリカのホーメル社が商標を持つ商品の名前です。

（沖縄県うまいもの同好会）

8 月 25 日㊍	天気		行事
	気温	℃	

8 月 26 日㊎	天気		行事
	気温	℃	

蝉

　６月になると初蝉を聞くようになる。梅雨が明けると待っていたように色々な蝉が鳴きだす。多数の蝉の鳴き声を総称して「蝉時雨」という。日中の暑さが増幅される。

ニッポンを賑やかにする蝉時雨　　齊藤　大柳

　「ジイジイ」と鳴く油蝉、「ミーンミーン」と鳴くミンミン蝉、「シャーシャー」と鳴く熊蝉、「ニイニイ」と鳴くニイニイ蝉など日本には20種以上の蝉がいるとされる。

ヒロシマの蝉は悲しさ秘めて鳴く　　瀧尻善英

油蝉終戦の日がよみがり　　太矢左近太郎

　ヒロシマ、ナガサキに原爆が投下された日も暑かったが、８月15日も暑かった。ラジオの周囲に集まり、頭を下げて正午からの天皇のことばに耳をかたむけた。満州事変以来の15年戦争が敗戦であったが終わった。

あれは慟哭　八月の蝉しぐれ　　鏡渕　和代

　蝉の成育には樹木が不可欠であるため、林の多いところが生地になる。枯木に産みつけられた卵は孵化して土中にもぐり、多くは５年以上

8 月27日㊏	天気		行事	
	気温	℃		

新月

---

8 月28日㊐	天気		行事	
	気温	℃		

民放テレビスタートの日、二日灸

をそこで過ごし、適当な時期がくると夕刻地上にはい出して脱皮する。

ひと夏を生きる確かな蝉の声　　中島　和子

　成虫になると幼虫に比べて寿命が非常に短かく、1〜2週間で死ぬ。

かなかなと涼しそうなは蝉ばかり　　都倉求芽

　お盆をすぎた頃から初秋にかけて、明け方にも鳴くが夕方によく鳴くのが蜩。「カナカナ」と鳴くので、別名を「かなかな」とも呼ばれる。哀調を帯びた鳴き声には、何かもののあわれを感じさせるものがある。小泉八雲は蝉の鳴き声のなかで、蜩がいちばん美しいと賞めている。

　昨年は7月から8月にはオリンピック開催のさなか新型コロナの感染拡大が大きな問題となり、8月には緊急事態宣言が6都府県に、まん延防止等重点措置が5道府県に適用された。蝉の鳴き声までもがコロナに聞こえた。

気のせいかコロナコロナと蝉時雨　　竹内妙子

　　　　（NHK学園　川柳講師　橋爪まさのり）

8 月29日㊊	天気		行事	
	気温	℃		

焼き肉の日

8 月30日㊋	天気		行事	
	気温	℃		

富士山測候所記念日、冒険家の日

りんごの高密植栽培

　長野県では、従来のわい化栽培に比べ早期に収量が得られ、成園時により高収量となる「高密植栽培」の導入が進んでいる（写真1）。
1 高密植栽培の特徴　従来のわい化栽培以上の早期多収（早くから収量を得る）と高収量（10 a当たり5トン以上）を目標とするため、樹と樹の間の距離を短くする。栽植距離は、樹列3〜3.5 m、樹間1 m以下で10 a当たり250本以上定植する。定植した樹の側枝は下垂誘引し、樹形を円筒形に近づけることでほ場の空間利用効率を上げる。その結果として、薄い壁状の樹列となり、作業効率の向上や機械化しやすい園地となる。樹幅は薄くなるが、樹高は高くなる（目標樹高は3.5 m程度）。
2 高密植栽培の収量　長野県果樹試験場の場内試験において、各品種とも定植後5〜6年目で高い収量性が確認された（表）。
3 高密植栽培の課題　高密植栽培では、大量のフェザー苗木（写真2）の確保が必要である。また、樹高に応じた高さと強度を兼ね備えたト

コラム

野菜売り場は何故入口にあるのか

　日常の食料品をスーパーマーケットや生協で買われる方は多いと思います。その時注意してみると、なぜか野菜コーナーが入口付近に多いと思いませんか？

　これは１つには客にその時々の季節を感じてもらうためだと言われています。旬の野菜や果物を綺麗に陳列することで、客の目を楽しませ、購買意欲を高める働きがあるとか。

　かりに肉や魚が入口付近に並んでいたら、個々の単価が高いこともあり、客の購買意欲を多少削いでしまうことも考えられます。お店にとっては最初に何かを買ってもらうことが重要で、それがあとの買い物の呼び水になります。

　野菜は肉料理にも魚料理にも使えますし、煮物やサラダなど使い道は多種多様。まずは買い物かごに野菜を入れてもらうことが、お店側の狙いなのです。

レリスの設置が必要となる。このため、開園の初期費用が大きくなるが、改植事業等を有効に活用する。さらに、栽植本数が多く、開花量が非常に多いため、着果管理における薬剤の効果的な利用が必須である。

写真1「シナノスイート」
　　　「シナノゴールド」の
　　　高密植栽培園

品種	樹間 (m)	列間 (m)	10a当たり の本数 (本)	定植後 年数 (年)	10a当たり 換算収量 （トン）
ふじ	1.3	4.0	193	5	5トン程度
シナノスイート	0.9	3.5	317	6	4トン以上
シナノゴールド	0.9	3.5	317	6	5トン程度
シナノリップ	0.9	4.0	278	5	3トン程度

表　高密植栽培における品種別収量（長野県果樹試験場）
　　M.9自根の2年生フェザー苗木を試験に用いた。

写真2 フェザー苗木

（長野県果樹試験場 栽培部　楢本　克樹）

「しりたいものが、しりたい」 〜「インターネット通販の功罪」の後日談〜

インターネット通販の「罪」的な体験に関連して令和3年4月頃の新聞記事をご紹介します。

やや旧聞ですが、この年の3月末、日本航空が国内線で提供していた音楽や落語などが聴ける「機内エンターテインメント」の一部を終了しました。

備え付けのヘッドホンを肘掛けにつなぐもので、昭和47年（1972年）の開始当時としては画期的なサービスでした。

終了の理由は、機内の通信環境（Wi-Fi）の整備が進み、各自のスマートフォンやパソコンで利用可能となったためとしています。

編集子も導入後の当時を振り返ると、機上では、大抵このサービスで時間を潰していましたし、当時は、自分の知らないヒット曲の魅力に気付かされたり、落語の軽妙洒脱な語り口に思わず引き込まれたりと、制約の中でも思わぬ出会いがあったことも確かです。

しかし、現在は、聴き放題の音楽配信サービスやSNSで見知らぬ人と交信可能です。そしてネットサービスは検索結果などの分析から、それに見合うものを次々と薦めます。記事はこれを、"常に好きなものに囲まれる快適な生活の実現"と表現。ネットの在り方としては、これもありうると認める一方、そうでないものに触れる機会は相対的に減り、存在が見えにくくなると指摘します。

さらに、ネットが情報インフラに限りなく近づき、必要不可欠な仕組みとして日常生活に君臨すると、「知りたいわけではないが、知っておいた方がよいもの」：興味はないが、世の中では一定の存在感がある分野の情報に出会う機会も相応に担保される必要はないのかと記事は問うています。なるほどと考えさせる内容です。

薬はたっぷりの水で飲む

若い頃は体も健康で、多少の無理などしてもすぐに回復し、病院や医院に通うことはあまりありません。

そのような訳で、若い時分はずいぶんと縁遠かった医薬品ですが、年を重ねて中年期以降になると、高血圧や糖尿病などといった生活習慣病、慢性病などで、日常的に薬の世話になる人が増えていきます。

さらに高齢期に入ると、数種類から十種類くらいの薬を毎日飲む人が、むしろ一般的になります。

本来、薬は体の不快な症状を改善し、緩和してくれるものですが、誤った飲み方をすると、かえって危険な場合もあるので注意が必要です。

例えば、旅行で景勝地や旧跡巡りをしている最中に持病の薬を飲もうとして、ふと水を持っていないことに気づきます。「まぁ、飲み慣れているから大丈夫だろう」と安易に考えて水なしで薬をそのまま飲んでしまう人がたまにいま

す。過信からくる行為なのかも知れませんが、これは危険です。

薬を水なしで飲むと喉や食道に詰まって傷などがつき、炎症を起こすおそれがあります。また、食道に付着して薬がその場で溶けてしまったために、食道潰瘍になった例も報告されています。特にカプセル型の薬は喉や食道の粘膜にくっつきやすいので、水なしで飲むのは絶対にやめましょう。

薬を服用するときに水で飲む理由は、薬を飲みやすくするためと、薬を体に吸収させやすくするためです。水と一緒に飲むことによって、薬が溶けやすくなり、吸収力が高まります。また、水の量が少ない場合、薬の吸収が低下し、効き方が遅くなることがあります。たっぷりの水で薬を服用するように習慣づけましょう。

参考図書「あなたの健康常識は間違っているやってはいけない」㈱アントレックス

おわら風の盆
（富山市八尾町）

●節気・行事●

二百十日	1日
白露	8日
十五夜	10日
二百廿日	11日
敬老の日	19日
彼岸入り	20日
社日	22日
秋分の日	23日
彼岸明け	26日

●月相●

○満月		10日
●新月		26日

9月の花き・園芸作業等

花き

アイスランドポピー、ワスレナグサ、パンジー、ロベリアなど秋播き一年草の播種。テッポウユリ、スカシユリ、グラジオラスなど春植え球根の堀上げ。サボテンの接木。シャクナゲ、ボタンの株分けと植替え。常緑樹の移植。ユキヤナギ、シモツケ、アジサイなど灌木類の株分け。

野菜

ダイコン、ハクサイ、ホウレンソウの間引き、中耕、追肥。キャベツ、ハクサイの定植。ネギの土寄せ。ナス、フジマメ、ハス、ダイコン、ハクサイ、菜類、カブ、キャベツ、タマネギ、ゴボウ、ホウレンソウの収穫。果菜類作付跡地の耕起。

果樹

ナシの施肥。リンゴの袋はぎ。ナシの芽接ぎ。ミカン、ナシの病害虫防除。ナシ、カキ、クリの収穫。

9月 暦と行事予定表

	節 気 ・ 行 事	予　　　定
1 (木)	二百十日、関東大震災の日、防災の日	
2 (金)	宝くじの日	
3 (土)	ベッドの日	
4 (日)	串の日、庚申、上弦の月	
5 (月)		
6 (火)	鹿児島黒牛・黒豚の日	
7 (水)		
8 (木)	白露、サンフランシスコ平和条約調印記念日 桑の日、甲子	
9 (金)	重陽、救急の日、食べものを大切にする日	
10 (土)	十五夜、下水道の日、満月	
11 (日)	二百廿日	
12 (月)	水路記念日、宇宙の日	
13 (火)	世界の法の日、己巳	
14 (水)		
15 (木)	老人の日、老人週間（21日まで）	
16 (金)	オゾン層保護のための国際デー	
17 (土)		
18 (日)	かいわれ大根の日、下弦の月	
19 (月)	◉ 敬老の日	
20 (火)	彼岸入り、動物愛護週間（26日まで）、空の日	
21 (水)	秋の全国交通安全運動（30日まで）	
22 (木)	社日	
23 (金)	◉ 秋分の日、秋分、彼岸中日、テニスの日	
24 (土)	結核予防週間、畳の日	
25 (日)		
26 (月)	彼岸明け、新月	
27 (火)	世界観光の日	
28 (水)		
29 (木)	クリーニングの日	
30 (金)	くるみの日	

種の発芽条件と種まきのコツ

発芽には適度な水分、温度と酸素が必要で、種類によっては光の影響を受けます。

【水分】

吸水量は種類によって異なり、イネ科は重量の25～30％を吸水し、マメ科は80～120％吸水し発芽します。吸水量が多すぎても少なすぎても良くありません。

【温度】

多くの野菜は20～25℃が発芽適温で、30℃程度の高温を好むもの（スイカ、メロン、カボチャなど）や15～20℃の低温が適するもの（レタス、ホウレンソウなど）があります。

【酸素】

発芽は呼吸を伴うため、十分な酸素が必要です。種が土中深く埋もれると酸素不足となり、発芽が悪くなります。

【光】

光が必要な好光性種子にはレタス、ミツバなどキク科野菜、暗黒で発芽のよい嫌光性種子は、ナス科、ウリ科、アブラナ科野菜があります。

【まき床を均平に】

まき床に凸凹があると、種が土に埋まる深さや、土の乾湿にむらがでるので、板切れなどで土を平らにします。

【新しい種を使う】

種袋には発芽率や有効期限が表示されています。古い種ほど発芽能力が落ちています。

【まく量が多すぎない】

種袋の種を全て使い切ってしまおうと、厚まきになりがちです。こうなると間引きの手間が増え、間引きが遅れると、ヒョロヒョロに伸びてしまいます。

【覆土が厚すぎない】

種の直径の3倍程度が標準です。覆土後は、手で軽く土を押しつけて、種と土が密着するようにします。

【発芽までは乾燥させない】

まき床は種まき前日にかん水して、土を落ち着かせておきます。種は水を含むと直ちに活動を始めますので、その後のかん水は欠かせません。

（神奈川県種苗協同組合　成松　次郎）

その9
3つの異なる味わいが混在　近畿地方

米作りが盛んな近江盆地や京都盆地、そして大阪盆地。山がちな紀伊半島があれば、瀬戸内海や日本海に面した北西部もあると、3つの表情を持つのが近畿地方。多彩な風土が、この地方の酒に豊かな表情を与えています。

【滋賀県】

すっきりとしながらやわらかな旨味を持った淡麗旨口が、この県の酒の特徴。仕込み水が軟性であることと、全国から人が集まる、お隣の京都への出荷がこうした酒を作ったと言われています。

【京都府】

言わずと知れた「伏見の酒」は、中軟水の仕込み水を利用したやわらかな飲み口。兵庫の灘地方の酒が「男酒」と称されるのに対し、「女酒」と呼ばれています。

【大阪府】

すっきりした口当たりの中に、厚みのある旨味を感じさせるのが大阪の酒。ちなみに「くだらない」の語源は、かつてこの地の酒が江戸で「下り酒」と呼ばれて珍重され、下り酒でない酒を「下らない酒」と呼んだことが語源と言われています。

【兵庫県】

全国一の酒どころ。灘地方を中心に酒蔵がひしめき合い、日本一の日本酒生産量を誇ります。硬水である「灘の宮水」を利用した酒は、質実剛健で骨太な味わいが魅力です。

【奈良県】

日本酒は、ここ奈良県が誕生の地。菩提酛（ぼだいもと）という室町時代に編み出された酒母（酛もと）を使い、酸味のある濃厚な風味と醇味の両方を兼ね備えた酒が生み出されており、最近、とみに人気を集めています。

【和歌山県】

温暖な気候から作られる、旨味とコクを備えた骨太濃醇タイプがここの特徴。魚料理とよく合います。山間の酒は、ふくよかでやさしい味わいという特徴が。

（ライター・千羽　ひとみ）

9 月 1 日㊍	天気		行事
	気温	℃	

9 月 2 日㊎	天気		行事
	気温	℃	

宝くじの日

大阪産(もん)シラス 「シラス」 の競争入札の取組み

　大阪府で水揚げされているシラスは、令和元年度の漁獲量が約3,700トンと全国4位の漁獲量を誇っています。また、大阪湾で獲れたシラスは味が濃く美味しいとされ、高値で取引されています。

　しかし、このシラスは数年前までは安価で取引される魚でした。当時、水揚げされたシラスは仲買人が直接買い取る「相対取引」で取引されていましたが、セリを行わないため、競争原理が働かず、良質なシラスでも価格が上がりに

くい取引でした。そのため、漁業者は漁獲量を増やすことで収入を補っていましたが、近年資源量が減少し、単に漁獲量を増やすことは困難となりました。

　このままでは、大阪の漁業者は立ち行かなくなってしまうという危機感から、大阪府鰮巾着網漁業協同組合が岸和田市の地蔵浜に仮設の共同入札場を建設し、競争入札による取引を開始しました。当初、長年の付き合いである仲買人との関係から、一部の漁業者しか参加しません

9 月 3 日㊏	天気		行事	
	気温	℃		

ベッドの日

9 月 4 日㊐	天気		行事	
	気温	℃		

串の日、庚申、上弦の月

でしたが、セリにより価格が向上したことを受け、開始３年目には府内全てのシラス漁業者が参加するに至りました。

さらに、ICTを導入した入札場を新設したことで、シラスの落札情報がすぐに漁業者に届き、品質による価格の差が一目瞭然になりました。これにより、良質なシラスを水揚げするための競争が発生し、品質が底上げされた結果、価格は相対取引当時より約５割上がり、この取り組みは水産庁長官賞を受賞しました。

単に魚を獲るだけでなく、価格向上の工夫により奇跡の復活をみせた大阪産シラスをぜひ食べてみてください。

（大阪府環境農林水産部 流通対策室

志津馬　大起）

9 月 5 日㊊	天気		行事
	気温	℃	

9 月 6 日㊋	天気		行事
	気温	℃	

鹿児島黒牛・黒豚の日

花のような甘い香りの「香り緑茶」

静岡県の荒茶生産量は25,200トン（2020年）で、全国の36％を占めています。普通煎茶、深蒸し煎茶が一般的ですが、それに続く第3の煎茶として、当センターは香りに特徴のある「香り緑茶」の製造技術を開発しました。

通常の煎茶は摘んだ葉を新鮮なうちに速やかに製茶しますが、「香り緑茶」は葉をあえて少し萎凋させて製茶します。これにより、通常の煎茶には含まれないジャスミン様の芳香であるインドールや、スズランやラベンダー様の芳香

であるリナロールなどの香気成分が生成・蓄積されます。ほんのりと甘い花や果物のような香りを楽しむことができる、全く新しいタイプの緑茶です。

既に生産者等により商品化されていますので、「香り緑茶」で検索し、購入頂けたら幸いです。参考までに、「香り緑茶」の香りをより楽しめる美味しい淹れ方をご紹介します。

9 月 7 日㊌	天気	行事
	気温 ℃	

9 月 8 日㊍	天気	行事
	気温 ℃	

白露、サンフランシスコ平和条約調印記念日、桑の日、甲子

【温かいお茶の淹れ方】
①茶葉５ｇ（大さじ１杯）を急須に入れる。
②熱湯250mlを急須に注ぐ。熱湯で淹れる
　ことにより甘い香りが引き立ちます。
③50〜60秒ほど浸出させる。
④一旦、サーバーや別の急須に注ぎ入れる。
⑤湯のみに注ぎ分ける。

【冷たいお茶の淹れ方】
①750ml用フィルターボトルに茶葉６ｇを入れ
　る。
②浄水器を通した水道水750mlを計り入れる。
③３〜４時間程度、冷蔵庫で保管する。

花のような甘い香りの「香り緑茶」をぜひお試
　しください。

（静岡県農林技術研究所 茶業研究センター
　　　　　　　　　　　　　　鈴木　夏織）

9 月 9 日㊎	天気		行事	
	気温	℃		

重陽、救急の日、食べものを大切にする日

---

9 月 10 日㊏	天気		行事	
	気温	℃		

十五夜、下水道の日、満月

もっちり食感の金沢市特産「加賀れんこん」

　JA金沢市加賀れんこん部会の生産者が出荷している加賀れんこんは、加賀野菜の１つとして、金沢を代表する伝統野菜です。加賀れんこんの収穫方法には、伝統的な「鍬掘り」とポンプの水圧で掘り上げる「水掘り」の２つがありますが、現在は「水掘り」が主流となっています。

　加賀れんこんの特徴はその食感にあります。夏はシャキッとした食感が楽しめますが、秋から冬にかけてはデンプン質が蓄積され、もっちりと粘りのある食感となります。手で握るとつなぎを使わなくても団子状に固まるほどの粘りで、れんこんをすりおろしてみそ汁にした「加賀れんこんのすり流し汁」や、伝統的な加賀料理の一品である「加賀れんこんのはす蒸し」などの特徴を活かした食べ方もよくされます。

　また、見た目にも特徴があり、他県産のれんこんと比較して黒茶色の表皮をしています。

　れんこんは、茎葉を通って土壌の中で呼吸をしていますが、れんこんから光合成で排出され

9 月 11 日 ㊐	天気		行事	
	気温　　　℃			

二百廿日

---

9 月 12 日 ㊊	天気		行事	
	気温　　　℃			

水路記念日、宇宙の日

た酸素と土壌中の鉄分が結合し、酸化鉄として
れんこんの表皮に付着します。これを生産者は
「さび」と呼んでいますが、植物が光合成を行
う上で必要とされる鉄分をたくさん含む良質な
土壌で育った証拠であり、新鮮なれんこんの特
徴とされています。
　JA金沢市加賀れんこん部会では、石川県が
認定している特別栽培農産物の取り組みも始め
ており、通常より化学肥料と農薬を半分以下の
使用量で栽培することで、環境に配慮した栽培

体系の確立にも力を入れています。
　JA金沢市農産物直売所「ほがらか村」では、
ネット販売も行っておりますので、ぜひ一度ご
賞味いただき、金沢の風土を感じてみてくださ
い。

（金沢市農業協同組合 営農経済部

　　　　　　　　　　　登内　良太）

9 月 13 日㊋	天気		行事	
	気温	℃		

世界の法の日、己巳

9 月 14 日㊌	天気		行事	
	気温	℃		

一度は行ってみたい、全国秘湯めぐり⑨

**1日に7回色が変わる神秘の「つぼ湯」で
世界遺産に登録された「湯の峰温泉」**

　日本最古の湯として知られる「湯の峰温泉」は、開湯1800年。

　熊野詣の前に、人々はここを湯垢離場（ゆこりば）として身を清め、長旅の疲れを癒したということです。以降、時の上皇も訪れる名湯となり、由緒ある温泉の名を守り続けてきました。

　湯の峰温泉には2つの浴場がありますが、そのうち「つぼ湯」は2004年7月に世界で唯一入浴できる温泉として世界遺産に登録されました。

　「つぼ湯」は天然岩でつくられた丸い湯船にすっぽりと浸かる珍しい温泉で、硫黄分を含んだお湯は1日に7回も色が変わるといわれており、その謎も世界遺産の神秘性を一層高めています。

　神秘性ばかりでなく、ある雑誌の企画で「関西の温泉ナンバー1」に選ばれるなど、多くの

9 月15日㊍	天気		行事
	気温	℃	

老人の日、老人週間（21日まで）

---

9 月16日㊎	天気		行事
	気温	℃	

オゾン層保護のための国際デー

人に親しまれる一面もあり、関西全域から来る人が絶えることはありません。

　つぼ湯は男女混浴風呂で、30分交替制になっています。

　湯の峰温泉には毎日午前6時から午後10時まで利用できる公衆浴場があり、中には一般湯、くすり湯、貸切湯、休憩場があります。

　貸切もできる「くすり湯」は加水無しで適温まで湯温を下げられた贅沢な温泉。

　公衆浴場では温泉くみとり場もあり、温泉水を10ℓ100円程度で持ち帰ることができます。また、大塔川沿いには「湯筒」があり、沸々と湧き出る90度の熱湯で温泉卵や茹で野菜を作って楽しめます。

　湯の峰温泉の泉質は炭酸水素塩泉で効能は神経痛、糖尿病、皮膚病、リュウマチ、胃腸病など。世界遺産での入浴体験は、きっと忘れられない思い出になることでしょう。

9 月 17 日 ㊏	天気		行事	
	気温	℃		

_____

_____

_____

_____

_____

_____

9 月 18 日 ㊐	天気		行事	
	気温	℃		

かいわれ大根の日、下弦の月

_____

_____

_____

_____

_____

_____

岡山【冬桃がたり】冬季が食べ頃の全国でも希少な桃

　桃と言えば暑い夏を代表する果物ですが、「冬桃がたり」は晩秋に成熟し冬に食べる全国でも珍しい桃です。主に吉備路もも出荷組合の約40戸が栽培をしており、2013年から出荷が始まった新しい特産品種です。

　岡山県総社市は、中央を県三大河川の1つである高梁川が流れています。この一帯は、古代吉備文化発祥の地であり吉備路五重塔などの古墳、史跡などが多く存在し観光名所でもあります。農業は水稲を中心に古くから桃やブドウの

果樹栽培の盛んな地域であり、桃については、明治の初期より栽培されたと伝えられています。

　「冬桃がたり」は11月中旬ごろに収穫期を迎え、追熟して11月下旬から12月上旬に出荷する日持ち性が非常に良いのが特徴です。大きさはやや小ぶりですが、白く美しいだけでなく、肉質は緻密で上品な芳香があり、糖度も平均15度以上と非常に高い美味しい桃です。

　しかし栽培は非常に難しいものです。夏の桃

9 月19日 ㊊	天気		行事
	気温　　　　℃		

🎌 敬老の日

_____

_____

_____

_____

_____

_____

_____

_____

9 月20日 ㊋	天気		行事
	気温　　　　℃		

彼岸入り、空の日、動物愛護週間（26日まで）

_____

_____

_____

_____

_____

_____

_____

と同じ4月上旬に花を咲かせ5月に果実が出来きますが、11月中旬の収穫までの長期間木に果実をならしているため、病害虫の被害を受けやすいだけでなく、成熟前に落果や亀裂が発生してしまうことや、風に揺られて傷が付いて出荷できないことが少なくありません。その為、非常に出荷量が少なく、希少な桃となっています。

　近年ではお歳暮やクリスマスなど贈答用の高級桃として人気が高まっています。

　くだもの王国・岡山の新たなる冬の顔「冬桃がたり」を是非一度ご賞味ください。

（晴れの国岡山農業協同組合　河内　智洋）

| 9 月 21 日㊌ | 天気 | 行事 |
| 気温　　　　℃ | | |

秋の全国交通安全運動（30日まで）

| 9 月 22 日㊍ | 天気 | 行事 |
| 気温　　　　℃ | | |

社日

トマト

「トマトが赤くなれば医者が青くなる」「トマトある家に胃病なし」などトマトに関わる諺が西洋にある。トマトの効用が認められているのでしょう。

太陽を浴びたトマトにある活気　　板谷　恵子
夏の朝トマトの紅に光る詩　　　　福原　直樹

　生活の中ではもてはやされているトマトだが、食卓を飾った歴史は意外と新しい。

　南米のアンデス山中に生まれたトマトは16世紀にイタリアで栽培されヨーロッパに伝わった

が観賞用で、時には毒草扱いもされた。

畑から生れたトマトかぶりつく　　河内　月子

　日本には18世紀、ポルトガルから伝えられたが観賞用で、栽培は長続きしなかった。

丹精の甲斐あり朝々挽ぐトマト　　奥田かよ子

　元治元（1864）年、横浜の吉田愛五郎が神奈川奉行より西洋野菜菜園に指定された。いちご、さやえんどう、セロリー等と共にトマトもあったが、種子はトランクに入れ、日本人には触れさせなかったという。

9 月23日㊎	天気	行事
	気温　　　　℃	

◉ 秋分の日

9 月24日㊏	天気	行事
	気温　　　　℃	

疎開地で食べたトマトを忘れない　　山内悦次
空晴れてトマトの味がするトマト　　福田文吾
　食用として栽培されるようになったのは昭和の始め。生活にとけこむのと比例するように栽培面積も増えた。家庭菜園の一品にもなった。戦後、ハウス栽培の普及は、促成、半促成、早熟、抑制など栽培様式がとられ、今では一年中、店頭に出回っている。用途別にも生食用、加工用等と品種も多様化している。
太陽の赤盗む気の冬トマト　　　　　大木　俊秀

　市場に出回っている品種では「桃太郎」が大きな割合を占めている。冬から春にかけてはハウス栽培の「ファーストトマト」が出回る。ミニトマトには赤や黄、オレンジ色などがあり、形も丸やスモモ形などバラエティに富んでいる。最近はシュガートマトとかフルーツトマトと呼ばれる甘いトマトが出回っていて、いろいろなトマトが店頭を飾っている。
弁当にフルーツトマト名乗り出る　　照沼　智
　　（NHK学園　川柳講師　橋爪まさのり）

9 月 25 日 ㊐	天気		行事
	気温	℃	

9 月 26 日 ㊊	天気		行事
	気温	℃	

彼岸明け、新月

漢方薬の王様　～オタネニンジン～

　ウコギ科の多年草で、会津人参（朝鮮人参、高麗人参）とも呼ばれています。

　栽培の起源は、8代将軍・徳川吉宗が朝鮮半島から輸入した種子を、各地の大名に分け与えたところからはじまると言われています。

　それが「御種」の由来とされ、栽培地として許可されたのは、会津（福島県）、信州（長野県）、出雲（島根県）の3地域のみでした。

　その中で、会津藩は全国で唯一の人参奉行所を設置し、栽培・収穫・製造を一括管理してき

ました。

　明治期以降は外国へ輸出するなど盛んに栽培が行われ、一時、会津は全国有数の産地になりましたが、現在は中国からの輸入物が出回り、生産量は減少しています。

　現在、オタネニンジンの栽培地は会津若松市、会津美里町、喜多方市の3市町村に限られています。

　300年以上前から栽培されてきた「オタネニンジン」は、高畦・4条植えで栽培され、日よ

9 月 27 日㊋	天気	行事
	気温　　　　℃	

世界観光の日

9 月 28 日㊌	天気	行事
	気温　　　　℃	

けを施して、収穫までに5〜6年かかります。また、一度栽培した土地は、その後は栽培できません。

　2019年から認知度向上と消費拡大を目指して、「オタネニンジンフェア」が開催されました。

　会津エリアでは、オタネニンジンを使用した料理が16店舗で提供されています。

　また、芦の牧温泉では薬膳鍋を食することも出来ます。

　有効成分は、疲労回復をはかる「ビタミン」、造血作用のある「サポニン」をはじめ、色々な成分が含まれており、全身の代謝の活性化を促します。

　会津美里町では、これらの成分を生かして体がポカポカに温まる人参湯が名物になり、人気となっています。。

【オタネニンジンの利用方法】
　①入浴剤（あせもの特効薬）
　②日本酒漬け

9 月29日㊍	天気	行事
	気温　　　℃	

クリーニングの日

9 月30日㊎	天気	行事
	気温　　　℃	

くるみの日

③天ぷら（お手軽な料理）
④薬膳鍋（冬野菜や鶏肉を入れる）

（福島県農林統計ＯＢ会　事務局長　平田　保）

灘のけんか祭り
（兵庫県姫路市）

●節気・行事●

寒　　　露　　8日
十　三　夜　　8日
スポーツの日　10日
統 計 の 日　18日
土　　　用　20日
霜　　　降　23日
読 書 週 間　27日

●月　　　相●

○満　　月　10日
●新　　月　25日

10月の花き・園芸作業等

花　　き

スイートピー、ラークスパーの播種。秋播き一年草の苗の定植。チューリップ、ムスカリ、ヒヤシンス、アネモネなど秋植え球根の植付け。カンナ、ダリア、カノコユリなど春植え球根の堀り上げ。ガーベラ、ミヤコワスレなど宿根草の株分け。ジル、ローズマリーなどハーブ類の播種。

野　　菜

小松菜、ホウレンソウ、促成用果菜類の播種。ニンジン、菜類、タカナ、ネギ、ゴボウ、ダイコン、エンドウ、キャベツの播種。キャベツ、カリフラワー、ブロッコリーの移植。イチゴ、フキ、菜類の定植。ハクサイ、ネギ、キャベツ、カブ、菜類、イチゴの中耕、間引き、追肥。ハクサイ、ホウレンソウ、インゲン、ダイコン、ニンジン、ゴボウの収穫。

果　　樹

ビワの施肥。果樹園の草生播種。早生温州、リンゴ中生種、イチジク、カキ、クリの収穫。ミカン、クリの害虫防除。

10月 暦と行事予定表

	節気・行事	予定
1 (土)	法の日、労働衛生週間、共同募金	
2 (日)	豆腐の日	
3 (月)	登山の日、上弦の月	
4 (火)	里親デー、鰯の日	
5 (水)	レジ袋ゼロデー	
6 (木)	国際文通週間	
7 (金)		
8 (土)	**寒露**、十三夜、木の日、ソバの日	
9 (日)	万国郵便連合記念日	
10 (月)	**●スポーツの日**、目の愛護デー、まぐろの日 満月	
11 (火)		
12 (水)	豆乳の日	
13 (木)	引越しの日	
14 (金)	鉄道の日	
15 (土)	たすけあいの日	
16 (日)	世界食料デー	
17 (月)	貯蓄の日	
18 (火)	統計の日、下弦の月	
19 (水)	住育の日	
20 (木)	**土用**、えびす講、誓文払い	
21 (金)	国際反戦デー、あかりの日	
22 (土)	天赦日	
23 (日)	**霜降**、電信電話記念日	
24 (月)	国連の日	
25 (火)	新月	
26 (水)	柿の日、原子力の日、反原子力デー	
27 (木)	読書週間（11月9日まで）	
28 (金)	速記記念日	
29 (土)	てぶくろの日、炉開き	
30 (日)	たまごかけごはんの日	
31 (月)	世界勤倹デー、ガス記念日、ハロウィン	

緑肥作物と対抗植物

緑肥作物は青刈りして土壌にすき込み、土壌を肥沃にする目的で栽培されます。対抗植物は特定の病害虫を防除するために栽培し、土壌中の寄生性センチュウや病原菌の密度を下げて、被害を減らすことができます。

【緑肥作物】

すき込んだ有機物が微生物に分解されて腐植が作られ、団粒構造の形成、透水性の向上で野菜の根の環境が改善されます。マメ科は根粒菌によって空気中のチッソを固定し、土壌が肥沃となります。

秋まきでは、イネ科のエンバクやライ麦などがあり、マメ科のクローバーは翌年花を楽しんだ後にすき込みます。春まきではイネ科のソルガム、ギニアグラスなど栽培し、夏に茎葉を耕耘機ですき込みます。イネ科作物は草丈が伸び、土作り効果以外にも害虫の飛来阻止、風よけなどの障壁効果も期待できます。

【対抗植物】

ネコブセンチュウは、根にこぶを作って養水分の吸収を妨げて生育を阻害する害虫です。

このセンチュウは地温の高い夏～秋に増殖し、ウリ科を始め多くの野菜に被害を与えます。マリーゴールドやクロタラリヤなどの対抗植物を春にまき、3ヶ月程度育てれば、センチュウ密度を下げることができます。

また、根こぶ病はダイコン以外のアブラナ科野菜に広く被害を及ぼす病気です。こぶの程度が激しくなると生育が滞り、まともな収穫物がとれません。ダイコンを育てると根こぶ病菌が細根に寄生しても被害は起きません。そこで、葉ダイコンを育てて、センチュウを吸い取り、その後にアブラナ科野菜をまけば被害を減らすことができます。

（神奈川県種苗協同組合　成松　次郎）

その10
山陰と山陽で異なる酒の味わい　中国地方

中国山地をはさんで日本海側と瀬戸内海側に二分されるこの地方。こうした地形と気候が、酒の味わいにも大きな影響を与えています。総じて山陰地方の酒は酸度が高く濃醇で骨太、山陽地方はふくよかな旨口と言われています。

【鳥取県】

甘口の酒がもてはやされていた当時から、辛口一筋。それもさっぱりとした淡麗辛口と言うよりも、はっきりとした酸味を感じさせる辛口というという所に、この県のこだわりと信念を感じさせます。

【島根県】

出雲神話に登場するヤマタノオロチは、「八塩折之酒（やしおりのさけ）」という8回も醸された酒を飲み、酔って寝込んだところをスサノオノミコトに退治されます。この神話の映すかのように、ていねいな酒造りのもと、濃醇でゆたかなふくらみのある、あと引く風味が味わえるのがこ

の県の酒です。

【岡山県】

山田錦と並び称される酒米「雄町」はこの県が原産地。北部で収穫され「赤磐雄町」と呼ばれ高く評価される米から作られる酒は、多くが旨味のしっかりした濃醇タイプです。

【広島県】

灘（兵庫）、伏見（京都）と並ぶ、西日本を代表する酒どころがこの県。瀬戸内海の魚介によく合う濃醇でやや甘め、旨口の味わいが特徴で、地元では、〝小味が効いた味〟と表現されています。

【山口県】

地酒ブームを牽引する「獺祭」と生み出した、昨今話題の銘醸地です。この名酒の爆発的人気で果実や花を思わせる香りがする、みずみずしい味わいの酒がこの県の酒の特徴と思われがちですが、本来は濃醇旨口がこの県の伝統です。

（ライター・千羽　ひとみ）

10月 1 日㊏	天気	行事
	気温　　　　℃	

法の日、労働衛生週間、共同募金

10月 2 日㊐	天気	行事
	気温　　　　℃	

豆腐の日

森の落ち葉が支える環境保全

　コロナ禍により他人との接触が避けられない都会の暮らしから森に囲まれた里山の暮らしを望む人々が増えています。里山の森から得られる自然の恵みが、人々の暮らしを豊かにします。例えば森の静けさ、清らかな水や空気、野生の山菜やきのこなどが思い浮かびます。これらの恵みは、森の地面に降り積もった落ち葉が陰で支えているのです。

　ところが里山では、第2次世界大戦が終わり燃料革命を迎える頃まで、木や落ち葉が少ない状態がしばらく続いていました。特に明治期には幕府や藩の厳しい管理がなくなり、森林伐採や落ち葉の搾取が進みました。なぜなら、当時は薪や落ち葉が、燃料や肥料に使う生活物資として不可欠だったからです。里山では、雨による侵食で森林土壌が失われ、森が育たない「はげ山」となりました。特に西日本では、こうした「はげ山」が広く見られたのです。

　森の地面を覆っている落ち葉には、土壌侵食を防ぐ働きがあります。乾燥重量で1ヘクター

10月 3 日㊊	天気		行事
	気温	℃	

登山の日、上弦の月

10月 4 日㊋	天気		行事
	気温	℃	

里親デー、鰯の日

ル当たり5トン程度の落ち葉に覆われると、土壌侵食が起こらなくなります。森は落ち葉を使い土壌侵食を防ぐことによって、自ら都合のよい生育環境を作り上げています。現在は森の管理や整備が進み「はげ山」を見る機会はほとんどありませんが、森が持つ生育環境を整える能力を超えて、人間が木を切り過ぎてしまえば、再び「はげ山」に戻ってしまいます。

　私たちが森の恵みを受けて暮らし続けるためには、「過ぎたるはなお及ばざるがごとし」と

いうことわざをライフスタイルに取り入れることが大切だと思います。

（森林研究・整備機構
森林総合研究所 森林防災研究領域
　　　　　　　　　　　小川　泰浩）

10月 5 日㊌	天気		行事	
	気温	℃		

レジ袋ゼロデー

10月 6 日㊍	天気		行事	
	気温	℃		

国際文通週間

長野県オリジナル新品種「クイーンルージュ®」について　〜種がなく皮ごと食べられる赤系ぶどうが市場デビュー！〜

　長野県では、果樹の主力品目の１つであるぶどうのブランド力と、果樹経営体の稼ぐ・攻める力の強化を図るため、大粒で種がなく皮ごと食べられる県オリジナル品種の開発・育成を進めています。

　これまで、平成16年には紫黒色の「ナガノパープル」を新たに品種登録し、現在、県内外において栽培が広がり、旬を迎える９月以降、県内の果樹園や農産物直売所、小売店等で販売されるほか、首都圏の百貨店やECサイト等でも

御購入いただけます。また令和元年には、ＪＡ全農長野・信州大学との共同研究により、血圧を下げる機能があるＧＡＢＡを含む機能性表示食品として消費者庁への届出が受理され、商品名「毎日グレープ（ナガノパープル）」としても販売が始まっています。

　さて、今回ご紹介する「クイーンルージュ®」は、長野県果樹試験場が約10年の歳月をかけ、新たに開発・育成した種無しで皮ごと食べられる赤系ぶどうで、令和３年度に本格的に市場デ

10月 7 日㊎	天気	行事
	気温　　　℃	

10月 8 日㊏	天気	行事
	気温　　　℃	

寒露、十三夜、木の日、ソバの日

ビューを迎えます。
　品種の特性としては、糖度が20％程度ととても甘く、ほのかなマスカット香がある大粒で赤紫色のぶどうで、9月下旬頃が旬となります。
　県では今後、「クイーンルージュ®」の市場デビューと併せて、県内や東京・大阪等の主要市場におけるトップセールスやパティシエによるスイーツの開発のほか、メディアやSNSの活用等により広くPR・情報発信をしていく予定です。

　長野県で開発された期待の新品種「クイーンルージュ®」を是非一度ご賞味いただければと思います。

（長野県農政部　農産物マーケティング室）

10月 9 日（日）	天気		行事	
	気温	℃		

万国郵便連合記念日

10月10日（月）	天気		行事	
	気温	℃		

🏁 スポーツの日 　　　　　　　　　　　　　　　　目の愛護デー、まぐろの日、満月

木枯らし

口笛を吹いて木枯らし吹き抜ける　　　原田俊明

　低気圧や前線が通ったあとで強い北西の風が吹く。木枯らしの訪れである。木々は身震いするかのように、パラパラと葉を落とす。

　木枯らしの吹く口笛は鋭いピュウピュウだろうか。冬の季節風のさきがけである。

四斗樽へ木枯らしを入れ漬け終り　　　進藤一車

　東京の木枯らし１号の平均は11月８日。北海道、東北は10月下旬から11月上旬とされる。木枯らしの頃は漬物の季節でもある。

　冬型の気圧配置が強まり、日中の気温が前日より２、３度低くなった時に吹きやすい。

凩に心の底を叩かれる　　　工藤　甲三
凩が一枚の絵を冬にする　　　納　糸葉

　屈折した気持ちが木枯らしに叩かれた思いを強めているのでしょう。それはまた、心の中を冬の絵にかえることにもなったのだろう。

　「凩」は峠、榊のように日本が生んだ国字。

　木枯らしは真冬のように何回も吹くことはなく、半日か一日で吹き止み、そのあとには移動

10月11日㊋	天気		行事
	気温　　　　℃		

安全・安心なまちづくりの日

10月12日㊌	天気		行事
	気温　　　　℃		

豆乳の日

性高気圧がやってきて穏やかな日になる。
木枯らしに人が恋しい野の佛　　中村也志絵
　通りすがりに手を合わせる人、お供え物を置いていく人もいるが、木枯らしの吹きすさぶ今日は通る人もいない。子供達の声を聞きたいなあと思っているのではないだろうか。
木枯らしが笑い羅漢に落葉きせ　　渡部　愛三
　さびしがっている羅漢や野佛に木々を揺すって落とし葉を着せてやるのは、木枯らしのせめての優しさなのだろう。野佛や羅漢もこれから

迎える冬の覚悟をしなくてはなるまい。
木枯らしをステンドグラス詩にする 本山　哲朗
　ステンドグラスは色ガラスを用いて絵や模様にした窓。教会の窓でしょう。窓を叩く風を寒々と受けとめず、絵や模様がアクセントとなって一味ちがったものにしてくれる。
木枯らしの音遠ざかり残る闇　　福島　郁三
　明日はおだやかな日に戻るだろう。

（NHK学園　川柳講師　橋爪まさのり）

| 10月13日㊍ | 天気 | 行事 |
| | 気温　　　℃ | |

引越しの日

___

| 10月14日㊎ | 天気 | 行事 |
| | 気温　　　℃ | |

鉄道の日

___

「京の米」新品種『京式部』 ～京都が誇るプレミアムな米を～

　京都府から、開発者や生産者たちの熱い気持ちから生まれたオリジナル米新品種、『京式部（きょうしきぶ）』を紹介します。

　『京式部』開発のきっかけの1つは、平成30年の国の米政策の見直しによる産地間競争の激化でした。全国各地でブランド米が登場し、府でも開発が求められていました。

　もう1つのきっかけは、地球温暖化の影響です。これまで府内全域で生産されてきたコシヒカリは高温に弱く、品質を保つため生産者は大変な苦労をされていました。これらを背景に、温暖化などの課題を克服しながら府ならではの和食に合うおいしさを追究した品種開発に乗り出しました。

　平成29年度から、国の研究機関である農研機構との共同研究で、京都府の環境や求める品質に合った11系統について試験を行い、その後、5系統、3系統と絞り込み、令和元年度末ついに、最も優れた1系統を選抜しました。

　そして、令和2年の秋に、平安時代に京都で

| 10月15日㊏ | 天気 | 行事 |
| | 気温　　℃ | |

| 10月16日㊐ | 天気 | 行事 |
| | 気温　　℃ | |

活躍し、薫りの物語と言われる「源氏物語」作者紫式部を連想し、華やかで、平安の雅を感じることができる上質なイメージとなるよう『京式部』と名付けられました。

　『京式部』は、コシヒカリと比べて、栽培特性は、草丈が短く、夏の高温に強く、食味は、香りが良く、白くつやがあり、甘みがあることが特長です。生産者にとって栽培しやすく、京料理人からは「味のバランスが良く上品な味わい」、「京料理の〆に良い」など高評価を得ています。今秋には多くの消費者に楽しんでいただける予定ですのでご期待ください。

（京都府農林水産部 流通ブランド戦略課

伊藤　俊）

10月17日(月)	天気		行事
	気温	℃	

貯蓄の日

10月18日(火)	天気		行事
	気温	℃	

統計の日、下弦の月

一度は行ってみたい、全国秘湯めぐり⑩

谷底の露天風呂までケーブルカーで一直線
渓谷の眺望をひとり占めできる「祖谷温泉」

　徳島県の西部、吉野川の支流にある祖谷川と松尾川の流域に広がる祖谷渓は、岐阜県白川郷、宮崎県椎葉村と並んで日本三大秘境の1つに数えられています。

　源平の戦いで敗れた平家の残党が逃れ住んだ隠れ里というだけあって、静寂な深山幽谷の風景が、心を慰めてくれます。

　四国有数の温泉郷として知られる祖谷温泉郷の中でも、特に人気のあるのが、他にはないユニークな露天風呂です。

　1日に2,000トンも湧き出るアルカリ性単純硫黄温泉は、源泉かけ流し、無加水、無加温と3つの理想を叶えた贅沢仕様で、温泉通ならきっとその価値が分かるはずです。

　そして、露天風呂にたどり着くまでの道のりには遊び心いっぱいで、カップルや家族連れに大好評なのだとか。

- 190 -

10月19日㈬	天気	行事	
	気温　　　℃		

住育の日

10月20日㈭	天気	行事	
	気温　　　℃		

土用、えびす講、誓文払い

　まず「和の宿　ホテル祖谷温泉」のフロントでお支払いを済ませたら、宿に併設した駅に直行。渓谷の谷底にある露天風呂にはケーブルカーが運んでくれるのです。

　宿から露天風呂までは約1,700m。

　窓からの渓谷美を眺めながら、5分ほどかけてゆっくり断崖を下る気分は格別です。

　谷底の露天風呂は渓流にせり出すように造られ、まさに野趣満点。ほんの数メートルの距離にある川からは、サラサラと水が流れる音が聞こえて、自然の息吹を満喫できます。

　湯温はややぬるめの38度で、じっくり時間をかけて浸かるにはぴったり。

　湯の花が浮かぶやわらかなお湯を手に取ると、細かな気泡がシュワシュワとはじけて、心地よい刺激を感じます。

　お湯の湧き出す音と小鳥のさえずりをBGMに、時間を忘れて秘湯に浸かる。祖谷温泉にはこんな贅沢な時が流れています。

10月21日㊎	天気	行事
	気温　　　　℃	

10月22日㊏	天気	行事
	気温　　　　℃	

天赦日

航空自衛隊の味を本州最北の下北で！　大湊Sora空っ！を召し上がれ！

「自衛隊グルメと言えば？」

多くの方は海上自衛隊のカレーを思い浮かべるのではないでしょうか。しかし、今回御紹介するのは航空自衛隊の「鶏の唐揚げ」です。航空自衛隊では、隊全体でさらに上を目指すという思いから、鶏の唐揚げを「空上げ（からあげ）」と称して、全国の各部隊で特色ある空上げが食べられています。

青森県むつ市には、第42警戒隊（42警）という部隊が所在しています。釜臥山の頂にある通称「ガメラレーダー」を所管し、昼夜を問わず日本の空の安全を担っています。この42警で食べられている空上げが「大湊Sora空っ！（ソラカラ）」なのです！

その形は巨大なガメラレーダーを彷彿とさせる1つ70gの大きさが特徴で、地元の食材がふんだんに使われています。下北産の鶏もも肉に県産のニンニクとリンゴで下味を付け、下北産のもち粉をまぶして油で2度揚げすればソラカラの出来上がり！　ほかの食材も出来る限り県

10月23日 ⊜	天気		行事	
	気温	℃		

霜降、電信電話記念日

10月24日 ㊊	天気		行事	
	気温	℃		

国連の日

産を使用することに努めています。

　当市では、ご当地グルメとしての普及に力を入れています。市内6つの提供店舗では42警直伝の「元祖Sora空っ！」のほか、各店舗が趣向を凝らした「オリジナルSora空っ！」の両方を楽しむことができます。外はカリッと中はジュワッとジューシー、1つ70gと食べて大満足な42警直伝の味が、本州最北の下北で皆さんをお待ちしております。どうぞお腹を空かせてお越しください！

（大湊Sora空っ！普及会 事務局
今泉　一樹）

10月25日㊋	天気		行事	
	気温	℃		

新月

10月26日㊌	天気		行事	
	気温	℃		

柿の日、原子力の日、反原子力デー

休耕畑のスギナの効果的な防除法

　畑地にはさまざまな雑草が繁茂しますが、中でもスギナは最も厄介な種類です。私たちがふだん目にするスギナの茎葉は、スギナ全体のごく一部にすぎません。スギナは地下に根茎を張り巡らせ、その深さは1m以上に達します。スギナを防除するには、地下部まで防除する必要があります。

　スギナは春先に地下の根茎から胞子茎（ツクシ）を萌芽させます。4～5月頃からツクシと入れ替わるように続々と栄養茎（スギナと呼ばれる地上部）を生やし、初夏に旺盛に生育します。夏以降は他の雑草が繁茂し、スギナは目立たなくなりますが、他の雑草が除去されると、繁茂を続けます。そして茎葉を繁茂させて稼いだ栄養分を地下に送り込み、地下に新たな根茎を拡げます。秋から冬にかけて、根茎が地表に向かって伸びてきます。スギナの茎葉が枯れた時期の地表には翌年のツクシ（越冬芽）が、顔を出しています。

　この越冬芽が地表付近に集まっている時期が

10月27日㊍	天気		行事	
	気温	℃		

_____

_____

_____

_____

_____

_____

_____

10月28日㊎	天気		行事	
	気温	℃		

速記記念日

_____

_____

_____

_____

_____

_____

_____

スギナの防除適期です。初冬に塩素酸塩粒剤（「クロレートＳ」「クサトールＦＰ粒剤」、散布量は30〜40kg／10ａ）を処理すれば、スギナの地下部を枯らすことができます。塩素酸塩粒剤は雨水などに溶けた成分の酸化作用でスギナの越冬芽を枯死させます。スギナの越冬芽は、地下深くの根茎に酸素を送り込む働きをしているのでしょう。越冬芽が枯死すると根茎が呼吸できなくなり死滅するので、翌年のスギナの再生を抑制できます。休耕畑を復作時に活用でき

るスギナの防除技術です。

※詳しい情報は、農研機構技術紹介パンフレット「除染後畑地のスギナ対策技術」を入手してご覧ください。

（農研機構 東北農業研究センター

浅井　元朗）

10月29日㊏	天気		行事	
	気温	℃		

てぶくろの日、炉開き

10月30日㊐	天気		行事	
	気温	℃		

たまごかけごはんの日

【阿波晩茶】 ～県民に親しまれるお茶～

　阿波晩茶は、徳島県南部の山間地を中心に県下全域で製造されており、コクはあるのにさっぱりとした少し酸味のある味わいが魅力のお茶です。また、カフェイン含有量が少なく、赤ちゃんから大人まで親しめるお茶として、県民の食生活に深く浸透し、郷土を代表する食文化の1つとなっています。

　一般的な「番茶」は、春に緑茶の一番茶や二番茶の残り茶葉を摘み取り製造されますが、阿波晩茶は、摘み取る時期が遅く、年に1回、夏に

十分育った一番茶葉を摘み取り製造されることから、「晩茶」と表記されています。

　阿波晩茶は、世界的にも珍しい「後発酵茶」であり、「阿波晩茶の製造技術」は令和3年3月に重要無形民俗文化財に指定されました。

　その製造技術について、原料は古くから自生しているヤマチャを用い、夏まで大きく育てた茶葉を手作業で摘み取ります。その後、大きな釜でゆで、茶すり機ですり、桶で1週間から2週間ほど乳酸発酵させたあと、天日で乾燥する

コラム

焼肉店が増えたわけ

いまや焼肉料理店は全国の殆どの市や町にあり、休日に家族で外食をするときの定番の地位に登りつめましたが、昭和の時代にはそれほど目立つ存在ではありませんでした。

それでは何故ここまで焼肉店が急増したのか？その１つは1991年に牛肉の輸入が自由化されたから。アメリカ産やオーストラリア産の牛肉が輸入され、肉の原価が下がったのです。

それに加えて、客が自分で肉を焼くというスタイルにイベント性があり、家族で行く食事として定着しました。さらに、このことが調理人や店員を最小限に抑えるという副産物をもたらしました。

無煙ロースターの開発も客層を広げる大きな武器に。以前は焼肉に行くと臭いが服や体に染みついて、女性に敬遠されていましたが、無煙ロースターの普及で女性もオシャレをして行けるようになりました。

という独特の製法で作られます。

できあがった茶の味や香りは個性豊かで、代々各家々に受け継がれた、こだわりの製法と標高差や土質など様々な茶樹の生育環境の違いなどにより異なると言われています。

近年では、様々な研究者により、30種類近く含まれる乳酸菌の効果（血糖値抑制・整腸作用）や、抗アレルギー、花粉症などの効能について紹介され、注目を集めています。

また、飲んで楽しむ以外にも、阿波晩茶を活用した、そばやジェラートなども販売されています。こうした魅力ある産品である「阿波晩茶」および関連商品について、是非ご賞味ください。

（徳島県農林水産部
　　　もうかるブランド推進課）

ファミリー日誌の編集から刊行まで（その１）

令和２年に採用後、編集子の最初の業務が「ファミリー日誌」の編集補佐でした。

元職で機関誌の編集発行経験はあるものの、ファミリー日誌の発行部数とは、比較になりません。

多くの方々にご愛用いただき、利用者の方から「30数年、ずっと愛用しているよ」とのお話があると、編集業務にも、身が入ります。

そこで、このファミリー日誌をお届けするまでの道程、いわば編集子の"仕事ぶり"を簡単に、いえ、やや自画自賛的にご紹介します。

この日誌は、日々の農作業を記し、それが今後のお役に立つことを願って制作しています。

そして、お気づきの通り、この日誌の編集に携わる者、日誌下欄のコラムや「お国じまん」等執筆者は、優に100人を超えます。

利用者の方々に内容の濃い記事を提供するのは、結構、苦労を伴うものですが、稀にコラム欄の内容についてご質問等を受けると、筆にも、いえ、ワード入力にも力が入ります。

さて、編集作業はまず、お国じまんやコラム欄へ執筆いただける方々へのアプローチから始まります。

100名を超える方々に個別に事前連絡し、ご執筆頂くために丁重に依頼します。

ほとんどの方は快諾して頂き、中には、お願いする前に原稿を送られる、非常に「心強い味方」もいます。

その一方で、「（なぜ私が）書くの？」と、"断りたい"的なニュアンスで返される場合や、連絡しても、その後無しのつぶての場合もあり、そのときは、まさに"心が折れる"心境です。

空欄を作るわけにはいかず、そのときは編集子自らが筆を執ります。空欄を埋め終わると、まもなくお盆を迎え、ようやく日誌本体の編集作業が大詰めを迎える段階に至ります。

レーシックで視力回復。手術はたったの10分

近視・遠視や乱視を治療する屈折矯正手術は様々な種類があり、現在もっともポピュラーなものがレーシック（LASIK）と言われるものです。レーシックとは、角膜にレーザー（エキシマレーザー）を当てて角膜のカーブを変え角膜の屈折力を調整することにより、近視・遠視や乱視を矯正する視力回復法です。

手術時間は両眼でたったの10分程度。手術時の痛みも少なく翌日には98％以上の人が1.0以上の視力に回復するという治療法で、日本でも2000年に厚生労働省から認可がおりて以来、急速に普及し、1年間で約45万件のレーシック治療が行われているそうです。

レーシックは"あらゆる外科手術のなかで最も安全性の高い手術"といわれます。ですから欧米各国や、基準が厳しいといわれる日本でも認可されているわけです。累積で100万人以上の日本人が手術をしたといいます。

スマホなど目を使うことが多い昨今、メガネなしで過ごせることは大きなQOL（生活の質の向上）につながるのではないでしょうか。一度、調べてみる価値はあります。

ただ、もちろんデメリットもあり、手術後にドライアイは30％、ハログレア（光のちらつき）が40％の人にみられるといいます。また、４〜５％の人に近視の戻りがあるそうです。そして、手術を受けた人の中には、数年で元に戻ってしまったという話もあります。体や眼も消耗品と考えると仕方のないことかもしれませんが。

もちろん費用も比較的高額で数十万円しますから、そんなにちょくちょくできるものではないでしょう。

こうしたメリットデメリットを考えたうえで、手術を検討してみましょう。

手術の前には必ず眼科専門医の診察を受けましょう。眼科専門医とは日本眼科学会、日本眼科医会の会員であり、その上で眼科手術を含んだ5〜6年以上の臨床研修を修了し、専門医の認定を受けた医師です。

11月
November

弥五朗どん祭り
（宮崎県都城市山之口町）

●節気・行事●

文 化 の 日	3日
立　　　　冬	7日
七 五 三	15日
小　　　雪	22日
勤労感謝の日	23日

●月　　　相●

○満　　月　　8日
●新　　月　24日

11月の花き・園芸作業等

花　き

　秋播き一年草苗への霜よけ設置。熱帯性観葉植物鉢物の室内への取込み。球根ベゴニア、カラジューム、グロキシニアの球根越冬準備。西洋シバの播種。ボケの植替えと剪定。ヒバ類のとや葉（古葉）、マツの古葉落とし。落葉樹の鉢上げと植替え。針葉樹の植付け。

野　菜

　キャベツの移植。半促成栽培用果菜類の播種。チシャ、キャベツの定植。タマネギ、ダイコン、ハクサイ、菜類、ホウレンソウ、ニンジン、キャベツ、ソラマメの間引き、中耕、追肥。アスパラガス、ウド、ミツバの施肥。ホウレンソウ、タマネギ、キャベツ、ネギ苗、イチゴの防寒。果菜類予定地の耕起。野菜作付跡地の耕起。温床用落葉集め、堆肥の積返し、切返し。ダイコン、ハクサイ、キャベツ、ハナヤサイ、サトイモ、ハス、ショウガ、ネギ、ゴボウ、ニンジン、ホウレンソウ、菜類の収穫。

果　樹

　モモ、ナシ、ウメ、ミカンの施肥。果樹園の中耕除草。果樹園の清掃。ビワ、ミカンの防寒準備。ミカン、カキ、リンゴの収穫。

11月 暦と行事予定表

	節 気 ・ 行 事	予　　定
1 ㊋	灯台記念日、教育・文化週間（7日まで）、新米穀年度、計量記念日、上弦の月	
2 ㊌	キッチン・バスの日	
3 ㊍	◉ 文化の日、サンドウィッチの日、とおかんや、庚申	
4 ㊎	一の酉、消費者センター開設記念日	
5 ㊏	雑誌広告の日	
6 ㊐		
7 ㊊	立冬、鍋の日、天赦日、甲子	
8 ㊋	世界都市計画の日、ふいご祭、刃物の日、満月	
9 ㊌	119番の日、太陽暦採用記念日秋の全国火災予防運動（15日まで）	
10 ㊍	トイレの日	
11 ㊎	世界平和記念日、鮭の日、チーズの日	
12 ㊏	皮膚の日、洋服記念日、己巳	
13 ㊐	うるしの日	
14 ㊊		
15 ㊋	七五三、かまぼこの日、きものの日	
16 ㊌	いろいろ塗装の日、二の酉、下弦の月	
17 ㊍	将棋の日	
18 ㊎	土木の日	
19 ㊏		
20 ㊐	毛皮の日	
21 ㊊		
22 ㊋	小雪、いい夫婦の日、回転寿司記念日	
23 ㊌	◉ 勤労感謝の日、新嘗祭、外食の日	
24 ㊍	オペラ記念日、鰹節の日、新月	
25 ㊎	ハイビジョンの日	
26 ㊏	ペンの日、いい風呂の日	
27 ㊐	ノーベル賞制定記念日	
28 ㊊	税関記念日、三の酉	
29 ㊋	議会開設記念日	
30 ㊌	カメラの日、本みりんの日、上弦の月	

大家族のアブラナ科野菜

我が国で最も生産量が多い野菜は、ジャガイモを除くと第1位はダイコン、次にキャベツです。秋冬に旬を迎える野菜は他にハクサイ、ブロッコリー、カブなどがあり、これらはすべてアブラナ科野菜です。アブラナ科野菜は生育に冷涼な気候を好み、冬を越し、春になると花弁が4枚の花が咲きます。

キャベツの野生種は、青汁原料のケールのような球をつくらない植物といわれています。結球する野菜は結球しない野菜に比べて収穫量が多く、貯蔵しやすい利点があります。キャベツは人類が長い間改良を重ねた結果、結球し、花が咲きにくい奇形植物となりました。キャベツの種を採るには、結球部に十字の切れ込みを入れ、割れ目から花茎が伸びるようにしなければなりません。

ブロッコリーやカリフラワーは花のつぼみを食べるように改良されました。芽キャベツもケールから改良され、茎の周りに小さなキャベツがついています。茎が球状に発達した野菜はコールラビで、古くからあるのに消費が少ないですが、サラダで美味しい野菜です。これらキャベツの仲間はアブラナ属キャベツ類に分類され、相互に交雑するので、種の採種では隔離しなければなりません。

ハクサイ、カブ、コマツナはアブラナ属ハクサイ類に分類され、これらも相互に交雑します。キャベツ類とハクサイ類間では交雑して雑種が生まれることはほとんどありませんが、長い進化の過程ではキャベツ類とハクサイ類の交雑作物に西洋ナタネや飼料作物のルタバカが誕生しています。最近では胚培養で誕生したハクサイとキャベツ（カンラン）の雑種ハクランがあります。

（神奈川県種苗協同組合　成松　次郎）

その11
四国山地が分けた酒の味わい　四国地方

香川・愛媛・徳島3県のやわらかく甘味のある味わいに対し、高知1県がさっぱりとした淡麗辛口。孤高の道を行くその原因は、四国中央を走る中国山地にあり。険しい山に阻まれて高知独自の食文化が発達。酒もまた、独自の発達を遂げたのです。

【徳島県】

この県産の山田錦は「阿波山田錦」と呼ばれ、高い評価を誇ります。酒は総じて甘辛中庸なマイルドな酒質ですが、県が開発した「徳島酵母」を利用して、ふくらみの厚い、どっしりとした味わいの酒も造られるようになっています。

【香川県】

一般米の「オオセト」を用いた、軽い、さっぱりとした甘口テイストの酒が多く見られます。蔵元は県内に6蔵と少ないものの、多彩な流派が揃い、競い合うように香り高いふくらみのある酒や、濃醇風味のものを作り出すなど、多様化が進んでいます。今後の動きを注目したい県です。

【愛媛県】

四国でもっとも多い蔵元数を誇るのがこの県。一般米である県産の「松山三井」を用いた酒造りがされ、さっぱりとした軽やかで、やわらかで飲みやすい風味が特徴。こうしたところから、古くより「伊予の女酒」と呼ばれています。

【高知県】

「酒国・土佐」の2つ名を持つこの県の酒は、四国唯一のすっきりとした辛口が特徴。すいすいと飲めてしまいます。

これは、急峻な四国山地にさえぎられ、食に対する四国3県からの影響が少なかったこと。さらには皿鉢料理に代表される太平洋からの海の幸によく合うよう発達したことが、こうした高知独自の酒の味わいを作り出したと言われています。

（ライター・千羽　ひとみ）

11月 1日㊋	天気	行事
	気温　　　℃	

11月 2日㊌	天気	行事
	気温　　　℃	

キッチン・バスの日

地鶏の王様　名古屋コーチン

　名古屋コーチンは、全国で90％以上の知名度を有する日本を代表する鶏の１つであり、日本三大美味鶏の１つ（他に比内鶏、薩摩鶏）にも上げられています。

　名古屋コーチンは、明治の中頃に、元尾張藩士の海部兄弟よって生み出され、産卵能力の高さや病気に強いことから瞬く間に全国に普及、養鶏農家のみならず一般家庭でも飼育されていたことが、現在の高い知名度に繋がっています。

　昭和30年代後半に海外から採卵専用鶏が輸入されるようになると、名古屋コーチンは活躍の場を失い、一時は絶滅寸前まで追い込まれます。その後、消費者からブロイラーの水っぽい味への不満と昔ながらの美味しいかしわ肉を食べたいという要望が上がるようになると、これに応えるべく、名古屋コーチンは高品質鶏として復活を果たします。

　名古屋コーチンの飼育期間は、一般のブロイラーに比べて２〜３倍長く、肉質は弾力に富んで歯応えがあり、肉汁のコクや旨味にも定評が

11月 3 日㊍	天気		行事
	気温	℃	

📷 文化の日　　　　　　　　　　　　　　　　　　　サンドウィッチの日、とおかんや、庚申

11月 4 日㊎	天気		行事
	気温	℃	

消費者センター開設記念日、一の酉

あります。筋繊維もブロイラーに比べて細く均一で、きめ細かな食感が味わえます。串焼きや霜降りといった料理に加え、水炊き、すきやき（当地方ではひきずりと呼ぶ）、しゃぶしゃぶといった鍋物、最近では手羽先唐揚げや親子丼などが人気となっています。

卵についても、特に卵黄が濃厚で旨みが強いと評判で、卵かけご飯や卵焼きといった卵料理に加えて、カステラやプリンといった洋菓子の原料としても使用されています。

全国に地鶏と呼ばれる鶏は多いものの、純粋種のまま生産・普及されている鶏種は唯一、名古屋コーチンのみです。昔ながらの「かしわ」の味を、是非ご賞味下さい。

（(一社) 名古屋コーチン協会

木野　勝敏）

11月 5日㊏	天気		行事
	気温	℃	

11月 6日㊐	天気		行事
	気温	℃	

一度は行ってみたい、全国秘湯めぐり⑪

日本一のうたせ湯で疲れを一掃
滝の力で筋肉をほぐしてくれる「筋湯温泉」

　大分県玖珠郡九重町の筋湯温泉は、桶蓋山の山麓にあり、標高は1,000m。

　開湯は957年と古く、1000年以上の歴史を誇る、山間の温泉郷です。

　四季の表情が美しい飯田高原も近くにあり、夏は避暑地として、冬はスキー客の宿泊地として、ファンの人気を集めています。

　山峡に点在する宿は30軒近くあり、それぞれに個性豊かな趣向を凝らしています。

　「筋湯」という名は、肩こりや筋肉痛、腰痛など「筋の病に効く」ことが有名になり、「筋肉をほぐす湯」としての効能がそのまま温泉名になったものです。

　「日本一のうたせ湯」が自慢の筋湯温泉で、本物を体験したかったら、共同浴場「うたせ大浴場」へ。

　うたせ大浴場では、およそ2メートルの高さ

11月 7日㊊	天気		行事	
	気温	℃		

立冬、鍋の日、天赦日、甲子

11月 8日㊋	天気		行事	
	気温	℃		

世界都市計画の日、ふいご祭、刃物の日、満月

からザーッと音を立てて落ちるうたせ湯を18本も完備。

まるで滝のような水流が連なって落ちる様子は実に壮観です。

うたせ湯にはマッサージ効果があり、肩こりや腰痛、筋肉痛など気になる部分に当てると、心地よい刺激とともに、固くなった筋肉を揉みほぐしてくれます。

また、共同浴場には「岩ん湯」という露天風呂があり、そこにもうたせ湯が設置してあります。さらにこだわりの檜造りで内湯の「薬師湯」や気軽に楽しめる「足湯」、天然のミネラルウォーターを飲んで持ち帰りもできる「九重の名水コーナー」まで、盛りだくさんのおもてなしが用意してあるので、心ゆくまで温泉三昧の1日が過ごせます

ご利用料金も300円と良心的で、こちらが恐縮するほど。まさに誰にも教えず、いつまでも秘湯でいてほしい隠れ湯です。

11月 9 日㊌	天気		行事	
	気温	℃		

119番の日、太陽暦採用記念日、秋の全国火災予防運動（15日まで）

11月10日㊍	天気		行事	
	気温	℃		

トイレの日

宮城県北の郷土料理「はっと」 ツルツル、シコシコの食感がやみつきになる、小麦粉料理の一つ「はっと」。

「はっと」作りは、小麦粉に水を加えて、耳たぶ程度のかたさになるまでよく練るところから始まります。次に、その生地を寝かせて熟成させます。生地を指で薄く延ばしながらお湯に摘み入れ、茹であげたら「はっと」の完成です。

茹でる際に醤油仕立ての汁に入れると「はっと汁」になります。「はっと汁」の出汁や具材は、地域や家庭により様々です。季節の野菜やきのこ類、鰹節、煮干し、鶏、豚など、代々親から子へ受け継がれたお袋の味です。

また、「はっと」は汁物の他にも、お湯で茹でて水気を切ったあとに、「ずんだ」（枝豆をすり潰して、砂糖や塩で味を整えたペースト状の餡）などと絡めることもあります。

宮城県北部の登米市では、例年12月初旬に、全国の「はっと」に似た料理が集まる「日本一はっとフェスティバル」が開催されます。

代表的な醤油味のはっと汁の他、「海鮮はっと」や「あずきはっと」など、定番からスイーツ系まで多種多様な味が勢ぞろいします。この会

11 月 11 日㊎	天気		行事	
	気温	℃		

世界平和記念日、鮭の日、チーズの日

11 月 12 日㊏	天気		行事	
	気温	℃		

皮膚の日、洋服記念日、己巳

場でしか味わえない「はっと」もあり、年に一度の楽しみなイベントです。

　宮城県北地域は、県内有数の米どころですが、お米を満足に食べられなかった時代には、畑に小麦などの雑穀を栽培していました。

　米の代用食として生まれた「はっと」ですが、より美味しく食べたい、そんな人々の願いのもと、現在の多彩な料理へと工夫されていったのです。

　今や「はっと」は地域の行事や食卓には欠かせない郷土料理です。

（宮城県農政部 食産業振興課

安藤　慎一朗）

| 11月13日⑲ | 天気 | 行事 |
| | 気温　　　　℃ | |

うるしの日

| 11月14日㉺ | 天気 | 行事 |
| | 気温　　　　℃ | |

その食害、カモシカか実はシカか

　大切に育てた作物や苗木が獣に食害されない
よう、効果的な対策をとるためには、食害した
動物種が何かを知ることは重要です。近年にな
ってシカ（ニホンジカ）が分布を広げてきた地
域では、カモシカと思っていた食害に実はシカ
の食害が混ざっているかもしれません。

　カモシカは、昭和９年に天然記念物に指定さ
れて以来、原則としては保護されてきたために
人に対する警戒心が比較的弱いことや、なわば
りをつくり土地に執着的であるため、遠くまで
逃げないことなどから、昼間に畑や造林地に出
てきて食害する姿を目撃されやすい傾向がある
ようです。またカモシカは自分のなわばりから
同性の他個体を追い出そうとするため、あまり
高密度にはなりません。対照的に、シカは警戒
心が強く低密度の状況ではなかなか日中に姿を
見せませんが、非常に群れやすく、餌場となる
草地や集団越冬地では、数ヘクタールの範囲に
数百頭もの個体が集中する例が知られます。群
れる個体数が多くなるほど食害の影響は大きく

11 月 15 日 ㊋	天気		行事	
	気温	℃		

七五三、かまぼこの日、きものの日

11 月 16 日 ㊍	天気		行事	
	気温	℃		

いろいろ塗装の日、二の酉、下弦の月

なり、あるとき急に激害に至ることもあります。
　カモシカとシカの食害部位（食痕）は、どちらのものか見た目では区別がつきません。しかし食痕の表面に付着した唾液由来のDNAを検出することによって、カモシカかシカかを科学的に判定することができます。近年開発された「ニホンジカ・カモシカ識別キット」によって、従来に比べて簡便にどちらの食痕か判定できるようになりました。カモシカと思っていた食害部位を定期的に検査することによって、早期に

シカの食害が含まれていることがわかれば、激害に至る前に効果的な予防策の準備ができると期待されます。

（森林研究・整備機構 森林総合研究所
　　　　　東北支所　高橋 裕史）

11 月 17 日㊍	天気	行事
	気温　　　　℃	

将棋の日

11 月 18 日㊎	天気	行事
	気温　　　　℃	

土木の日

果物の女王「ラ・フランス」

　山形県は、西洋なしの生産量が全国１位で全国の生産量の６割以上を占めています（令和２年）。特に、西洋なしの品種「ラ・フランス」は緻密な果肉、果汁の多さ、特有の芳香、そしておいしさから「果物の女王」と称されています。

　「ラ・フランス」の歴史は古く、1864年にフランスのクロード・ブランシュ氏が発見し、そのおいしさに「我が国を代表するにふさわしい果実」と賛美したことから、「ラ・フランス」の名前がついたと言われています。日本には1903年に、山形県には大正初期に入りました。当時は缶詰加工が主流で、西洋なしを生で食べる習慣が無かったことや、栽培に時間と手間がかかることから、あまり人気がありませんでした。しかし、グルメブームや栽培技術が定着してきたことにより、栽培が本格化し、今では広く一般的に入手できるようになりました。

　「ラ・フランス」は、収穫直後は硬くて甘みもなく、食べても美味しくありません。そのた

11月19日㊏	天気		行事	
	気温	℃		

11月20日㊐	天気		行事	
	気温	℃		

毛皮の日

め収穫してから2～3週間、予冷という果実を冷やす管理と追熟という熟成させる管理を経てから出荷することとしています。また県・生産者・出荷団体等で構成される『山形県「ラ・フランス」振興協議会』では、その年ごとの生育状況を踏まえて、良質な「ラ・フランス」を消費者にお届けするため、全国一斉に販売を開始する「販売開始基準日」を設定する等、オール山形で取り組んでいます。

このような取組みが評価され、令和2年8月に「山形ラ・フランス」が、地理的表示（GI）保護制度に登録されました。これにより、さらに多くの皆さまに「山形ラ・フランス」の品質の高さとおいしさを知っていただけるのではないかと期待しています。

山形県を代表する、果物の女王「ラ・フランス」を是非、御賞味ください。

（おいしい山形推進機構）

11月21日㈪	天気		行事
	気温	℃	

11月22日㈫	天気		行事
	気温	℃	

小雪、いい夫婦の日、回転寿司記念日

すき焼き

すき焼きへ菜箸を手に鍋奉行　　　若井　広治

　寒くなってくると鍋料理の出番である。すき焼きは牛肉に葱、焼き豆腐、白滝、春菊、白菜などを加え、やき肉のたれである割り下で煮ながら食べる。すき焼きの語源は「鋤焼」で、牛肉を食べる時は調理も外で行い、農耕に使う鋤の上で焼いたことによるとの説がある。元々、日本では牛や豚の肉を食べる風習がなかった。

すき焼きへ世話をする箸食べる箸　　　相良　渉

牛鍋の心せわしい差し向かい　　　木村半文銭

　すき焼きは明治時代に登場したが「牛鍋」といった。すき焼きの名が一般化するのは東京で昭和10年頃という。すき焼きは、日本で生まれた鍋料理で世界的にも知られる。そういば、坂本九さんが唄った「上を向いて歩こう」が外国では「すきやき」の題名だ。どのような関係なのだろうか。

こみ入った話すき焼き煮えつまり　　神谷娯舎亭

　話が弾んでいる時は、箸の動きも、飲みものもバランス良く進むが、こみ入った話になると、

| 11 月 23 日 ㊌ | 天気 | 行事 |
| 気温　　　　℃ | | |

◉ 勤労感謝の日　　　　　　　　　　　　　　　　　　　　　　　　　　　新嘗祭、外食の日

| 11 月 24 日 ㊍ | 天気 | 行事 |
| 気温　　　　℃ | | |

　　　　　　　　　　　　　　　　　　　　　　　　　　　　オペラ記念日、鰹節の日、新月

箸はおろそかになる。肉も具材も煮えすぎ、せっかくの霜降り肉も台無しである。

すき焼きへ男の智恵は水を入れ　　田中　好啓

　煮つまった割り下を取り替えず、水を加えて薄めることで元に戻そうとする。鍋奉行がいればこんなことにはならない。脂肪が不規則な網の目のように入りこんでいる霜降り肉を上等とするのはすき焼きだからである。

すき焼きの母へ残った葱と豆腐　　牧戸　俊翠

　台所仕事のため遅れて席に着いた母は、明るい座の雰囲気に喜んで残りものを食べる。

　九州の熊本から上京してきた男に、旨いものを食べさせようと牛鍋屋に案内した。ひと口牛肉を口に入れて「馬かな」と大声で言ったので「バカ、牛肉だよ」とたしなめた。また一口頑張って「道理でうまか」と言った。金田一春彦の「ことばの歳時記」にある話だ。

　　　　　　　（NHK学園　川柳講師　橋爪まさのり）

11月25日㊎	天気	行事
	気温　　　　℃	

11月26日㊏	天気	行事
	気温　　　　℃	

ペンの日、いい風呂の日

"東北のしめさば"で"高知風の鯖ずし"を　～柚子と生姜で～

　高知は、沖の黒潮の恵みで魚が豊かです。新鮮で、多彩な魚は郷土食。

　例えば「鯖ずし」。お酢好きの高知では、昔から皿鉢料理の定番。で、昨年のNHK"ずっと四国"で、高知自慢として鯖ずしが紹介された。すると、「全国で流通してしめ鯖で、そのすしを作ることはできないの？」との声。なるほど！と、早速に作ってみました。

　青森県八戸市の企業製で、高鮮度で塩じめし、酢じめ、密封していて、味は良いのですが、こ

のまますしにしてもダメ。

　試行錯誤の末に評価された鯖ずしは、高知産無塩の柚子酢100％にドップリ浸して30分、この漬けた柚子酢ですし飯を作り、棒ずしに仕上げ、鯖の身の上に高知産の生姜の甘酢漬け（曙生姜）を貼りつける。と、「おいしい。これ、土佐風鯖ずし！」との評価。

　東北の鯖と高知の柚子・生姜が仲良しになり「どこでも、手軽に作る鯖ずし」が生まれました。

11 月 27 日 ㊐	天気	行事
	気温　　　　℃	

ノーベル賞制定記念日

---

11 月 28 日 ㊊	天気	行事
	気温　　　　℃	

税関記念日、三の酉

【作り方】2本分

○しめ鯖　しめ鯖　2枚
　　　　　柚子酢（無塩）300cc
○すし飯
　　白飯　500g（米1.5合分）

　すし酢
　┌ 柚子酢25cc
　│（魚を浸した酢）

　┌ 砂糖　　40g
　└ 塩　　　 4g
　生姜　　　15g
　ごま

○曙生姜
　　生姜　　100g
　　柚子酢　50cc
　　砂糖　　30g
　　塩　　　 3g

11 月 29 日 ㊋	天気		行事	
	気温　　　℃			

---

11 月 30 日 ㊌	天気		行事	
	気温　　　℃			

カメラの日、本みりんの日、上弦の月

○大葉　　　4枚

①鯖を酢に浸す：しめ鯖の身をさっと水洗い
　し、水気をふき取り、柚子酢に30分浸す。
②すし飯：米は普通の水加減で炊く。すし酢
　に生姜のみじん切りを合わせて、熱いご飯
　に手早く混ぜ、ごまを加えて冷ます。
③鯖、すし飯、大葉、すし飯の順に重ね棒ず
　しにする。鯖の身の上に、曙生姜を貼りつ
　ける。

（土佐伝統食研究会　松﨑　淳子）

秩父夜祭り
（埼玉県秩父市・秩父神社）

12月の花き・園芸作業等

花　き

　冬花壇へのハボタンの植え付け。秋播き一年草苗への追肥。宿根草花への防寒マルチング。バラ大苗の花壇植付けと鉢上げ。春バラのための剪定。キクの冬至芽挿し。花壇用土、鉢用土の準備。庭木、花木への元肥の施用。落葉樹の剪定。マツの剪定と植替え。庭木の採種と播種。

野　菜

　促成果菜類の定植。キャベツ、カリフラワー、ブロッコリー、タマネギ、チシャの定植。ミツバ伏込み株の堀上げ。ハクサイ、ダイコン、ホウレンソウ、カブ栽培跡地、果菜類作付予定地への石灰散布と耕起。ダイコン、ハクサイ、キャベツ、ハナヤサイ、カブ、ネギ、ホウレンソウ、菜類の収穫。ニンジン、ゴボウ、ハクサイの貯蔵。堆肥の積込み、ダイコン、菜類の病害防除。

果　樹

　果樹類の防寒。ナシ、モモ、カキ、ウメ、イチジク、ブドウ、ビワの施肥。ナシ、ウメの剪定。ナシ苗木の移植。ブドウ、ナシ棚の取換え。果樹園の落葉処分。ビワに対する石灰硫黄合剤の散布。ミカン、ナシ、モモ、カキの害虫駆除のための機械油乳剤の散布。

●節気・行事●

大　　　雪	7日
冬　　　至	22日
クリスマス	25日
大　　　祓	31日

●月　　　相●

| ○満　　月 | 8日 |
| ●新　　月 | 23日 |

12月 暦と行事予定表

	節 気 ・ 行 事	予　　定
1 ㊍	歳末助け合い運動、鉄の記念日、映画の日 エイズの日	
2 ㊎		
3 ㊏	障害者週間（9日まで）、個人タクシーの日	
4 ㊐	人権週間（10日まで）	
5 ㊊	納めの水天宮、国際ボランティアデー アルバムの日	
6 ㊋		
7 ㊌	大雪	
8 ㊍	こと納め、針供養、納めの薬師、満月	
9 ㊎		
10 ㊏	世界人権デー、納めの金昆羅	
11 ㊐	胃腸の日	
12 ㊊	漢字の日	
13 ㊋	正月こと始め、ビタミンの日	
14 ㊌		
15 ㊍	年賀郵便特別扱い	
16 ㊎	電話の日、下弦の月	
17 ㊏	飛行機の日	
18 ㊐	納めの観音	
19 ㊊		
20 ㊋	道路交通法施行記念日、ブリの日	
21 ㊌	納めの大師	
22 ㊍	冬至、ゆず湯	
23 ㊎	新月	
24 ㊏	クリスマスイブ、納めの地蔵	
25 ㊐	クリスマス、終い天神	
26 ㊊		
27 ㊋		
28 ㊌	納めの不動	
29 ㊍		
30 ㊎	地下鉄記念日、上弦の月	
31 ㊏	年越し、大はらい、除夜の鐘	

種苗法の改正について

種苗法は、野菜や果樹、穀物、きのこや花などのすべての農作物の種や苗に関する法律で、令和2年12月に改正されました。

【登録品種とは】

新たに開発された品種を農水省に出願して登録を受けている品種は、種苗法により保護されます。この保護されている品種を「登録品種」といい、「登録品種」を独占的に利用できる権利を「育成者権」といいます。この権利は、25年（果樹や樹木の場合は30年）認められます。開発した人の知的財産権を守って市場で流通できるようにするための法律です。なお、在来品種や品種の登録をしていない「一般品種」は種苗法の対象になりません。

【農家の自家増殖】

従来、農家は「種どり」して、翌年以降の栽培に使うこともありますが、「登録品種」は「種どり」することができなくなりました。「在来品種」や「一般品種」は種どりすることができます。なお、農家の自家栽培、市民農園、ベランダ菜園など、自家消費が目的とした栽培は対象外なので、登録品種の増殖は禁じられていませんが、他人に増殖した種苗を譲渡したり、売ることはできません。

【海外持ち出しの禁止】

過去にはいちご、いぐさ、さくらんぼ、ぶどうなどが育成者に無断で海外に持ち出され、それら生産物が日本に逆輸入されそうになったこともありました。このような事態は、日本の優良品種が海外で正当な対価が払われることなく栽培され、農産物輸出に支障を来たすことも懸念されます。育成者が海外への持ち出しを制限したい場合は、「国内限定」を届けることになります。

（神奈川県種苗協同組合　成松　次郎）

その12
酒文化圏が2つにわかれる　九州・沖縄地方

焼酎のイメージが強い九州・沖縄地方ですが、実際には大分県と宮城県の県境が酒文化圏を分けるライン。ここを境に、北が日本酒、南が焼酎と、好まれる酒も醸造される酒も変わります。

【福岡県】 一時は兵庫県に次ぐ全国2位の出荷量を誇ったこともある、西日本有数の銘醸地がこの県。今でも筑後川流域に多くの酒蔵を見ることができます。酒質は多様ですが、濃厚な甘口タイプが多いようです。

【佐賀県】 こっくりとした酒が多い九州でも、例外的に味のきれいな淡麗甘口タイプ。有明海に臨むことから新鮮な魚介を味噌や醤油でしっかりと味つけした料理が多く、こうした味わいの酒が生まれました。

【長崎県】 砂糖の使用量が年間6,750gと日本2位なのがこの県。酒も、さわやかで甘口。食中酒として楽しまれています。

【熊本県】 県北部の日本酒が好まれる地区と、南部の焼酎地区が混在するのがこの県。濃醇辛口のものが中心で、馬刺しや辛子レンコン等、濃厚な味つけの料理とよく合います。

【大分県】 臨海部と山岳部と、異なる2つの表情を持ち、酒も「山の甘口、海の辛口」と2つのタイプを合わせ持ちます。どちらも軽快な旨味が特徴です。

【宮崎県】 本州の日本酒醸造南限の地。すっきりとした辛口タイプです。

【鹿児島県】 全国唯一の日本酒蔵元がない県でしたが平成24年に1蔵が誕生しました。

【沖縄県】 1蔵のみが日本酒を製造しています。

●参考文献：全ページとも「日本酒のテキスト／同友館刊」「日本酒基本ブック／美術出版社刊」「日本酒の教科書／新星出版社刊」

（ライター・千羽　ひとみ）

12月 1 日㊍	天気	行事
	気温　　℃	

歳末助け合い運動、鉄の記念日、映画の日、エイズの日

12月 2 日㊎	天気	行事
	気温　　℃	

伊達のあんぽ柿　〜スローフード 最高の甘み〜

　福島には奥羽山脈と阿武隈という南北に延びる２つの山並みがあり、それを境にして「会津」「中通り」「浜通り」の地域に分かれています。

　伊達のあんぽ柿は、中通り地域で北部に位置する旧梁川町の五十沢集落が発祥の地と言われています。

　伊達市の特産品として、またお土産品として人気が高まっています。

　あんぽ柿（蜂屋柿）の生産は、およそ100年以上の歴史と伝統があります。生産現場では、

１個１個ていねいに皮をむき、吊り下げをし、約１か月かけて乾燥します。このように非常に手間をかけて仕上げていきます。

　現在のあんぽ柿になるまでに約15年の年月を費やし、生まれました。

　あんぽ柿は、福島県を代表する冬の味覚です。添加物を使用しない自然の甘さで、栄養価も高く、食物繊維を豊富に含んでいます。「美しいつや、トロリとした食感」が人気で、甘味の「スローフード」と言えます。

12 月 3 日㊏	天気	行事
	気温　　　　℃	

障害者週間（9日まで）、個人タクシーの日

---

12 月 4 日㊐	天気	行事
	気温　　　　℃	

人権週間（10日まで）

　　出荷時期は例年１月～３月までつづきます。
　　先人たちから受け継いできた食文化を、今後
も次の世代へ継承していくつもりです。

【お問い合わせ先】
〒960-0102
福島市鎌田字樋口15- 7

（福島県農林統計ＯＢ会　事務局長
　　　　　　　　　　　　　　平田　保）

12月 5 日㈪	天気		行事	
	気温　　　　℃			

納めの水天宮、国際ボランティアデー、アルバムの日

12月 6 日㈫	天気		行事	
	気温　　　　℃			

堆肥、油粕等の肥効を調べませんか？　～減肥に役立つwebアプリ～

　農研機構は家畜ふん堆肥や植物油粕など有機質資材の肥料効果（肥効）を予測するアプリを公開しました。数分の入力作業により、作物栽培にとって最も重要な窒素について、資材施用による減肥可能量を予測できて、施肥設計に活用できます(図)。このアプリの利用は無料です。

　一般の検索サイトで「土壌管理アプリ集」と入力し、ヒットしたアプリ集のサイトから「有機質資材の肥効見える化アプリ」を選択してください（ブラウザにIEは動作対象外）。又は同

アプリのURL（https://soil-inventory. dc.affrc. go.jp/main/organic-fertilizer）を直接入力ください。

　堆肥等の有機質資材は、土づくりや減肥栽培にとって不可欠な資材です。しかしその肥効は、資材の特性や地温等の条件によって変動するため予測が難しく、それが利用上の難点です。そこで資材特性と地温等から資材の窒素肥効を予測する計算モデルを開発しました（特許出願中）。上記のwebアプリでは、この計算モデル

12 月 7 日㊌	天気 気温　　　℃	行事

大雪

12 月 8 日㊍	天気 気温　　　℃	行事

こと納め、針供養、納めの薬師、満月

を使って、簡単に資材の窒素肥効を見える化できます。利用上の注意点も含めて詳しくは、同アプリの「使い方」をクリックし、マニュアルをご覧ください。

図　有機質資材の肥効
見える化アプリの画面

（農研機構 九州沖縄農業研究センター
小林　創平

12 月 9 日㊎	天気		行事
	気温	℃	

12 月 10 日㊏	天気		行事
	気温	℃	

世界人権デー、納めの金昆羅

桜島小みかん　～故郷に残したい食材100選～

　「桜島小みかん」は、鹿児島県のシンボル「桜島」において、古くから栽培されてきたミカンで、平成16年度には農林水産省の「故郷に残したい食材100選」に「桜島だいこん」とともに選ばれています。

　名前の通り平均的な果重は50g程度、横径も５cm足らずと、極めて小粒ですが、果肉は柔らかく、甘さと酸味のバランスがとれ、食味が良いみかんです。

　また、皮は柑橘系特有の爽やかな香りを発し、細かく刻んで薬味としても利用できます。

　青果は、主に歳末の贈答用として重宝されているほか、ジュース、ドレッシング等へ加工され、道の駅等で販売されています。

　「桜島小みかん」は、品種的には温州みかんと系統が異なる紀州ミカンに属しています。

　桜島では大正３年の大噴火や、その後の相次ぐ噴煙、降灰被害により、一時は生産が危ぶまれた時期もありました。それらを乗り越え、昭和54年から屋根掛けハウス栽培が導入される

12月11日📅	天気		行事	
	気温	℃		

胃腸の日

12月12日㊊	天気		行事	
	気温	℃		

漢字の日

と、桜島特有の軽石やボラ土の火山灰土壌を生かし、糖度を高めるための水分管理と適切な施肥、選定、摘果を行うなど、桜島柑橘ハウス振興会、関係団体の努力により、現在の栽培方法が定着しました。

また、栽培方法、出荷規格の遵守など、粒の揃った高品質の商品を安定的に生産、出荷する体制が続けられてきました。

これらの取り組みが評価され、平成20年度から鹿児島ブランド産地の指定を受けています。

さらに、平成21年には地域団体商標、29年には特定農林水産物等として地理的表示保護制度（GI）に登録されました。

（ＪＡ鹿児島みらい園芸・農産課

松岡　和明）

12月13日㊋	天気		行事	
	気温	℃		

正月こと始め、ビタミンの日

_____

_____

_____

_____

_____

_____

_____

12月14日㊌	天気		行事	
	気温	℃		

_____

_____

_____

_____

_____

_____

_____

みかん

　昭和30年代前半頃までは、12月に入るとみかんの木箱が店頭に積まれた。子供心にも年の瀬を感じた。師走の風物詩であった。今はダンボール箱だが、やはり師走を実感する。

ボーナスが入ったみかん箱で買う　　木崎　正

　みかんの主産県は愛媛、和歌山、静岡。生産では温州みかん、伊予かんが多い。温州みかんとオレンジの交配種の清見もある。

素顔のみかんお日さまと話する　　森田　照葉

　黄色に染まった蜜柑畑、斜面から見ると蜜柑たちが太陽と会話しているとも見えてくる。

子の学費稼いでくれたみかん切る　　杉本町子

　みかんは古くから栽培された果物だが、栽培面積は減っている。

　「古事記」には次のような話がある。『垂仁天皇の時、田道間守は非時香果を求めて常世国に派遣された。それを持ち返ったとき、天皇はすでに亡く、泣く泣く殉死した』とある、非時香果はみかんで、田道間守はみかんの神様となっている。

12月15日㊍	天気		行事	
	気温	℃		

年賀郵便特別扱い

12月16日㊎	天気		行事	
	気温	℃		

電話の日、下弦の月

目隠しのみかんが匂う待ち合わせ　植野美津江

　蜜柑に関わる話では紀伊国屋文左衛門をはずせない。天禄時代に荒くれ男達を使って、東海の風浪とたたかい江戸に紀州みかんを届け喜ばれた。もっとも５万両儲けたという。途中、風浪を避けて鳥羽の港に船を止めたが、船乗り達が酒を酌みながら作り、唄ったのが『沖の暗いのに白帆が見える／あれは紀の国みかん船』だという、もっとも、小型で種子の多い紀州みかんは明治時代に姿を消した。

ご近所の噂をむいているみかん　　田中　新一
聞き上手蜜柑の筋をとりながら　　橋本　言也

　話の輪の中には蜜柑が合う、各人がそれぞれ皮をむいて食べられる。話が途切れることはない。

鏡餅の上でみかんに果報者　　　　榎本　聰夢

　今日は大晦日。一夜あけてからは

みかんみかんみかんの皮の三箇日　貴田金星

（NHK学園　川柳講師　橋爪まさのり）

12月17日㊏	天気	行事
	気温　　　℃	

飛行機の日

12月18日㊐	天気	行事
	気温　　　℃	

納めの観音

郷土菓子「松皮餅」

　「松皮餅」は由利本荘市の矢島地域と鳥海地域のみに伝わる郷土菓子です。

　天明の大飢饉の際の救荒食であったという説や、矢島藩主の生駒氏が改易前の四国で兵糧攻めの際に作り出したという説などがあります。

　松の木は長寿を、その緑色はめでたさを表すため、白餅、蓬餅と共に３月の節句の三色の菱餅としても作られていました。

　松皮餅を作るには、赤松の皮を採集するところから始まります。採集した松皮は固い外皮を

とり除き、れんが色のやわらかい皮だけにします。その後、一晩水につけ、重曹を入れて、やわらかくなるまで半日くらい煮ます。重曹のかわりに灰汁を用いたりもします。

　その後、水を切って金槌やなたの峰で筋がなくなるまでたたきます。

　もち米がふかしあがったころ、松皮を丸めてせいろの上で温め、いったんもちだけを搗き、搗きあげたもちに１臼当たりおにぎり大の松皮を７、８個入れ、さらによく搗きます。

12月19日㊊	天気	行事	
	気温 　　　　℃		

12月20日㊋	天気	行事	
	気温 　　　　℃		

道路交通法施行記念日、ブリの日

　最後に餡を包んだら完成です。赤松の皮が練りこまれているため、美しい赤紫色をしています。

　近年は、テレビの健康番組等で、松皮餅が冷え性に効果があると紹介され、注目されています。

　松皮餅はすべて手作りで手間もかかるため、1日に作れる数が限られており、販売しても午前中のうちに売り切れることもある人気商品です。

ぜひ一度ご賞味ください。

（由利本荘市役所 矢島総合支所 産業課

石垣　あゆみ）

12月21日㊌	天気		行事	
	気温	℃		

納めの大師

12月22日㊍	天気		行事	
	気温	℃		

冬至、ゆず湯

酒米の話

　奈良と酒の関わりは深く、昔から県内の寺や神社でお酒が造られていました。大神神社は酒造りの神様として信仰を集め、春日大社には日本最古の酒殿があり現在も酒造りが行われています。

　清酒は、米、米麹（こめこうじ）と水を原料として仕込み、こしたものです。このうち、米麹を造るための原料となるのが酒米（正式には酒造好適米）で、一般的には仕込みで使われる精米の総量のうち、米麹用の精米の割合は２〜

３割と少ないですが、清酒の質を左右する最も大切なものです。

　酒米は、主食用米とは形質が大きく異なっており、例えば、その中心部には白く不透明になった「心白」がはっきりと見えます。「心白」はデンプン質が粗く柔らかいため、麹菌が米の内部深くまで素早く繁殖できます。このような性質は酒米が本来持つ遺伝的要因に左右されることが多いのですが、酒米農家の栽培技術や土質・天候により変化する性質もあるため、植え

12 月 23 日㊎	天気		行事
	気温	℃	

新月

12 月 24 日㊏	天気		行事
	気温	℃	

クリスマスイブ、納めの地蔵

付ける場所や栽培管理の方法には、主食用米以上に細やかな注意が払われています。
　各都道府県では地域の自然条件に適した酒米品種が奨励されており、奈良県では「露葉風（つゆはかぜ）」が準奨励品種に採用されています。当センターでは、県産酒米の付加価値をより高めるため、奈良県独自の品種の育成に取り組んでいます。

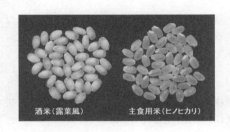

（奈良県農業研究開発センター

小林　幹生）

12月25日 ⊜	天気		行事	
	気温	℃		

クリスマス、終い天神

12月26日 ㊊	天気		行事	
	気温	℃		

落花生の煮豆

　落花生は半分近く油分を含む多脂食品なので健康に悪い印象ですが、落花生の油はオレイン酸やリノール酸などの不飽和脂肪酸が多く、悪玉コレステロール抑制、血管の老化予防はじめ、肥満防止、糖尿病予防などにも効果があり、食物繊維やビタミン、ミネラルが豊かで、また渋皮には抗酸化作用が大きいエスベラトロールを多く含みます。

　落花生は南米原産と言われていますが、我が国には江戸時代には入ってきていたようです。しかし本格的に育てられるようになるのは明治以降です。食べ方は乾燥させて炒る、というのが一般的ですが、未熟なものは静岡県や一部の地域でゆで落花生にされます。三重県では「煮豆といえば落花生」という地域があり、とくに正月に欠かせない一品です。もちろんお正月以外でも煮ますが、「煮豆と言えば大豆」という文化で育った筆者は三重県に来てカルチャーショックを受けました。十分に煮込むとやわらかくほくほくとした食感が得られます。単品以外

12月27日㊋	天気	行事
	気温　　　　℃	

12月28日㊌	天気	行事
	気温　　　　℃	

納めの不動

に椎茸やたけのこ、ごぼう、れんこん、にんじんなどとともに五目煮豆にします。落花生の食べ方はこのほかに落花生ご飯、東紀州では「おまぜ」とか「かき混ぜ」といわれるちらしずしに、ゆで落花生を混ぜて作られることもあり、「煮る」という調理法が多いことに驚ろかされます。ただ柔らかく煮るには生の落花生がよいのですが、入手できないときは乾燥のものを使用しますが、柔らかくするのに重曹や圧力鍋を使います。

最後に三重県の食文化と少し離れますが、東北や北海道で、節分の時の豆まきに落花生が使用される地域があります。雪の中で探しやすいことによるとか。また落花生の殻も有効で、建材に使用されるホルムアルデヒドを吸着することや動物の床敷材に使用すると消臭効果が高いなどの思わない役割があるそうです。

（三重大学名誉教授　成田　美代）

12月29日㊍	天気		行事
	気温	℃	

12月30日㊎	天気		行事
	気温	℃	

地下鉄記念日、上弦の月

一度は行ってみたい、全国秘湯めぐり⑫

南の島で楽しむ温泉リゾートは至福のひと時
新たな温泉文化が花開く「琉球温泉」

　日本の温泉といえば火山性のものが多く、南西諸島や沖縄の非火山温泉には馴染みが薄いかもしれません。

　摂氏25度以上で、硫黄や鉄イオンなど温泉法で定められた物質を含むものを温泉といいますが、沖縄には本土のような火山性の温泉はなく、すべて1,000m以上の深さから汲み上げる大深度掘削方式の温泉です。

　沖縄の温泉成分は地下深くの地層の中に閉じ込められた太古の海水（化石海水）で、ナトリウム・塩化物泉が主流です。

　全国でも温泉源泉数は圧倒的に少ない沖縄ですが、現在では14の温泉が確認されており、本土でいう「温泉」とはまた違った形の「スパリゾート」は、これからますます注目を集めていきそうです。

　他の他府県では、何軒かの旅館やホテル、共

年越し、大はらい、除夜の鐘

高熱の時に寒気がするのは？

熱が出ると体全体が熱くなり、顔がほてってきます。さらに熱が出て40度近くの高熱になると、顔は青ざめ、鳥肌が立ち、体全体が寒気で震えてきます。高熱なのにどうしてこのようなことが起こるのでしょうか？

それは脳にある体温調整中枢の機能が乱れてしまい、高い温度にリセットされてしまうからです。すると人間の体は、その温度を目指して熱を作り出す活動を始めるのです。体温を上げるために色々な症状が現れますが、鳥肌が立つのも、熱をさらに上げるための活動で、皮膚の表面を収縮させて体温の拡散を防御します。

体が震えて寒気を感じるのは、筋肉が伸縮をして、その運動によって熱を作り出しているからです。そして体温がセットされた温度に達すると、寒気は自然に収まります。

同浴場などが集まって「温泉郷」を形成する場合が多いのですが、沖縄にはある地域に温泉やスパが集合して温泉郷を作っているケースはありません。

本島北部、中部、南部と宮古島、石垣島など各地域に独自の温泉が点在しており、それを地元のホテルや観光業者が個性的な温泉施設として運営するスタイルが一般的です。

1980年代からは沖縄でもリゾートに温泉を組み込んだ施設が登場。ホテルの中には露天風呂やジャグジーを備えた高級スパを売り物にするところも増えてきました。

沖縄の温泉は開放的な雰囲気で、歴史も浅いため、いわゆる「秘湯」とは違うかもしれませんが、実は静かな環境の中で「ゲストは1日1組のみ」といったスパホテルも多いのです。ひなびた山間の秘湯も素敵ですが、満点の星の下で開放感あふれるスパ体験をするのも、沖縄ならではの魅力です。

ファミリー日誌の編集から刊行まで（その２）

　お盆期間中の短い夏休みを過ごし、処暑も末候に至る頃、編集作業は佳境に入ります。

　日誌の特性上、不可欠な旧暦や二十四節気、さらに最新のカレンダー情報（祝日の日付が間違っていたら、大変です）等資料を「獺祭」よろしく机上に置くと、印刷所から"試し刷り（ゲラ刷り）"が届き始めます。

　文字の一字一句などを資料と照らし合わせて、修正指示を書き込みます。

　これは「校正」というもので、もともと文字が小さいことや編集子の体力の衰えとも相まって、特に視神経に響きます。

　さらに記述内容の事実確認、文意に沿った表現として適切か、そもそも日本語として正確か等々自問自答しつつ、細心の注意を払う作業も必要です。

　これは「校閲」というもので、普段は「校正」と「校閲」をアタマの中で同時進行させます。

　それでもなお、誤りに気付かないまま、世に送り出した結果、読者の方からご指摘やお叱りを頂戴することがありますが、そのような時はこれを「天声人語」と捉え、次年版こそ、皆様のご期待に応えようと心を新たにします。

　そして、すべての編集作業を終えたら、印刷のゴーサインを出し、ようやく編集子の手を離れたとホッと一息つく間もなく、完成品が手元に届いて、段ボールを開梱する瞬間に感じる高揚感／達成感は、何物にも代えがたい経験の一つと言えるでしょう。

　この感覚は、農業に従事する皆様においても、自分が丹精込めて育てた農作物を手にする瞬間と同じものではないかと一人自負します。

　芒種も初候の頃に作業を始めたこの令和４年版「ファミリー日誌」。立冬も末候に至って、ようやく出来となりました。編集子一同が「丹精込めて」制作した「作品」をお手元にお届けしますので、ぜひ、ご活用・ご愛用下さると幸いです。

ペットボトルの放置は危険です

　ペットボトル飲料は、コンビニエンスストアや自動販売機などで売られている飲料水、冷たいお茶、清涼飲料水として、瓶や缶よりも多く見かけるようになりました。キャップで繰り返し開閉できるので、もち運びにも便利ですし、飲みたい量を飲みたいときに飲めるのでとても使い勝手がよいです。

　しかし知っておいて頂きたいことが一点あります。それはペットボトルに直接口をつけて飲むと感染症の恐れがあるということ。

　感染症とは、ウイルスや雑菌などの病原体が体内に侵入して増殖することで、発熱や下痢などの状態になることをいいます。

　私たちの口の中にある雑菌は、体の中に入ってもほとんど害になることはありません。しかし、いったん飲み物などに移って増殖すると、感染症などを引き起こすおそれが急激に増加するのです。

　ペットボトルから直接飲むと、口の中の雑菌も同時に飲み物に移ってしまい、何度もキャップを開閉することで空気中の雑菌が入ってしまう可能性が高まります。特に糖分の入った飲み物は雑菌が増殖しやすいので注意が必要です。ですので、開けてから飲み切ってしまうのであれば問題ないのですが、飲み残しを放置しておくのは止めた方が良いでしょう。放置された飲み物は時間の経過と共に雑菌が増えていくので、感染症の危険も高まっていきます。

　健康な若者なら免疫力が高いので神経質になることもないのですが、病気の時や子供、高齢者など体力がない人は感染症のリスクが高まります。夏場は水分補給のためにペットボトルを持ち歩く人が多いと思いますが、高温時は雑菌の繁殖力も高いので、保冷剤などを使って温度を低く保つことも必要です。

参考図書「あなたの健康常識は間違っているやってはいけない」㈱アントレックス

メートル法、尺貫法換算早見表

メートル法換算早見表　　　尺貫法換算早見表

尺 貫 法→メートル 法				メートル 法→尺 貫 法			
区分	尺貫法	計量単位比	メートル法	区分	メートル法	計量単位比	尺 貫 法
長	1 寸	0.1 尺	3.03 センチメートル (cm)	長	1 センチメートル	$(\frac{1}{10})^2$ メートル	0.33 寸
	1 尺	10／33 メートル	0.303030303 メートル (m)		1 メートル		3.3 尺
	1 間	6 尺	1.818 メートル (m)		1 メートル		0.55 間
	1 町	60 間	109.09 メートル (m)		1 キロメートル	10^3 メートル	550.00 間
さ	1 里	36 町	3927.27 メートル (m)	さ	1 キロメートル	10^3 メートル	9.17 町
	1 里	36 町	3.93 キロメートル (km)		1 キロメートル	10^3 メートル	0.25 里
	1 平方寸	0.01 平方尺	9.18 平方センチメートル (cm²)		1 平方センチメートル	$\frac{1}{10^4}$ 平方メートル	0.11 平方寸
	1 平方尺	$(10／33)^2$ 平方メートル	0.09 平方メートル (m²)		1 平方メートル		10.89 平方尺
面	1 歩(坪)	400/121 平方メートル	3.3057851 平方メートル (m²)	面	1 平方メートル		0.3025 坪
	1 畝	30 歩(坪)	99.17 平方メートル (m²)		1 アール	10^2 平方メートル	1.008 畝
	1 畝	30 歩(坪)	0.99 アール (a)		1 アール	10^2 平方メートル	30.25 坪
	1 反	10 畝(300坪)	991.73 平方メートル (m²)		1 ヘクタール	10^4 平方メートル	1.008 町
積	1 反	10 畝(300坪)	9.92 アール (a)	積	1 ヘクタール	10^4 平方メートル	3025.00 坪
	1 町	10 反(3,000坪)	9917.35 平方メートル (m²)		1 平方キロ	10^6 平方メートル	100.83 町
	1 町	10 反(3,000坪)	0.99 ヘクタール (ha)		1 平方キロ	10^6 平方メートル	302500 坪
	1 立方寸	0.001 立方尺	27.82647 立方センチメートル (cm³)	体	1 立方センチメートル	$(\frac{1}{10})^4$ 立方メートル	0.036 立方寸
	1 立方尺	$(10／33)^3$ 立方メートル	0.02782 立方メートル (m³)	積	1 立方メートル		35.937 立方尺
体	1 立坪	216 立方尺	6.0105184 立方メートル (m³)		1 立方メートル		0.166 立坪
	1 升	$\frac{2401}{13310000}$ 立方メートル	0.00180 立方メートル (m³)	区分	その他の単位	計量単位比	メートル法
	1 升	$\frac{2401}{13310000}$ 立方メートル	1.80385 リットル (ℓ)	長	1 イ ン チ	$\frac{1}{12}$ フィート	2.54 センチメートル
	1 斗	10 升	0.01804 立方メートル (m³)		1 フィート		0.305 メートル
積	1 斗	10 升	18.03856 リットル (ℓ)	さ	1 ヤ ー ド	3 フィート	0.914 メートル
	1 石	10 斗	0.18039 立方メートル (m³)		1 マ イ ル	5,280 フィート	1.609 キロメートル
	1 石	10 斗	180.38563 リットル (ℓ)	面積	1 エーカー	4,840 平方ヤード	40.468 アール
					1 エーカー	4,840 平方ヤード	4046.8 平方メートル

（注）1ha = 100 a = 10,000 ㎡　1 ℓ = 0.001000028m³

主要農産物の容量と重さの換算表

品　　　　名	単位	メートル法単位	品　　　　　名	単位	メートル法単位	品　　　　　　名	単位	メートル法単位
玄　　　　　米	1 石	0.15 t	ア　　　　　ワ	1 石	0.1275 t	リ ョ ク ト ウ	1 石	0.15 t
精　　　　　米	1 升	1.425 kg	ヒ　　　　　エ	1 石	0.075 t	ナ　　　タ　　ネ	1 石	0.12 t
酒　　　　　米	1 升	0.15 t	キ　　　　　ビ	1 石	0.1125 t	ゴ　　　　　マ	1 石	0.114 t
小　　麦(玄麦)	1 石	0.136875 t	モ　ロ　コ　シ	1 石	0.1305 t	牛　　　　　乳	1 石	0.1875 t
大　　麦(玄麦)	1 石	0.10875 t	ソ　　　　　バ	1 石	0.1125 t	雑　　　　　穀	1 升	1.12 kg
大　　麦(精麦)	1 升	1 kg	ダ　　イ　　ズ	1 石	0.129 t	ラ ッ カ セ イ	1 升	1.128 kg
裸　　麦(玄麦)	1 石	0.138775 t	エ　ン　ド　ウ	1 石	0.135 t	種　　も　　み	1 合	101 g
裸　　麦(精麦)	1 升	1.1 kg	ソ　ラ　マ　メ	1 石	0.126 t	レ ン ゲ 種 子	1 合	132 g
エ　ン　麦(玄麦)	1 石	0.07875 t	イ　ン　ゲ　ン	1 石	0.135 t	ダ イ ズ 種 子	1 合	129 g
ラ　イ　麦(玄麦)	1 石	0.141375 t	ア　　ズ　　キ	1 石	0.144 t	ダ イ コ ン 種 子	1 勺	12.75 g
トウモロコシ(乾燥)	1 石	0.13125 t	サ　　サ　　ゲ	1 石	0.144 t	タ マ ネ ギ 種 子	1 勺	9 g

郵便料金一覧表

通常郵便物の料金

令和3年9月1日現在

種類	内容	重量	料金
第一種（封筒）	定形郵便物	25gまで	84円
		50gまで	94円
	定型外郵便物（規格内）	50gまで	120円
		100gまで	140円
		150gまで	210円
		250gまで	250円
		500gまで	390円
		1kgまで	580円
	定型外郵便物（規格外）	50g以内	200円
		100g以内	220円
		150g以内	300円
		250g以内	350円
		500g以内	510円
		1kg以内	710円
		2kg以内	1,040円
		4kg以内	1,350円
第二種	通常はがき		63円
	往復はがき		126円
第三種（承認を受けた定期刊行物・開封）	下記以外の第三種郵便物	50gまで	63円
		50gを越え、1kgまで50gまでごとに	8円増
	毎月3回以上発行する新聞紙1部又は1日分を内容とし、発行人又は売りさばき人から差し出されるもの等	50gまで	42円
		50gを超え、1kgまで50gまでごとに	6円増
第四種（開筒）	通信教育用郵便物	100gまで	15円
		100gを超え、1kg（一部3kg）まで100gまでごとに	10円増
	点字郵便物、特定録音物等郵便物	3kgまで	無料
	植物種子等郵便物	50gまで	73円
		75gまで	110円
		100gまで	130円
		150gまで	170円
		200gまで	210円
		300gまで	240円
		400gまで	290円
		400gを超え、1kgまで100gまでごとに	52円増
	学術刊行物郵便物（日本郵便株式会社の指定するもの）	100gまで	37円
		100gを超え、1kgまで100gまでごとに	26円増

郵便物の重量・大きさの制限

区　別	重　量	大きさ		
		最大	最小	
通　常 郵便物	第一種 4kg（定形は50g）まで ●第三種 ●第四種 } 1kgまで （通信教育用郵便物の 一部、点字郵便物等は 3kgまで）	a（長さ）＝60cm a＋b＋c＝90cm ※定形郵便物の最大は 「a：23.5cm、b：1cm、c：12cm」 まで	①　円筒形かこれに似た形のもの 14cm 3cm ②　①以外のもの 14cm 9cm ●　特例 上記の制限より小さいものでも 6cm×12cm以上の耐久力のある 厚紙又は布製のあて名札を付け れば送れます。	

特殊取扱の料金

種　類		区　別	段　階	料　金
書　留	通常郵便物	現金書留 損害要償額 50万円まで	損害要償額 1万円まで	435円
			損害要償額1万円を超える 5千円までごとに	10円増
		一般書留 （現金書留以外） 損害要償額 500万円まで	損害要償額 10万円まで	435円
			損害要償額10万円を超える 5万円までごとに	21円増
		簡易書留	損害要償額5万円まで	320円
速　達		通常郵便物	250gまで	290円
			1kgまで	390円
			4kgまで	660円
特定記録				160円
※ 引受時刻証明				320円
※ 配達証明		差し出しの際		320円
		差し出し後		440円
※ 内容証明		謄本1枚		440円
		2枚目から1枚ごとに		260円増
		謄本閲覧		440円
代金引換				265円
※ 本人限定受取郵便				105円
※ 特別送達				570円
配達日指定郵便		第一種郵便物、第二種郵便物、 及び第四種郵便物（点字郵便 物及び特定録音物等郵便物に 限る。）	原則として、配達予定日の翌日 から起算して10日以内の日。 （　　）内は、日曜日又は休 日を指定した場合の料金	32円 （210円）

（注1）※印は、書留（簡易書留を除く）としたものに限り、この取扱いをします。
（注2）書留や速達にする場合は、通常郵便物の料金に特殊取扱の料金を加算してください。

出産・長寿の祝

着 帯 祝	妊娠5ヵ月目に帯を締める式。これを岩田帯ともいう。多く戌の日を選んで行う。
七夜の祝	赤ちゃんが生まれて7日目の祝、この日命名。
宮 参	男子は生後31日目、女子は33日目に産土神に詣でる式。西京地方では100日目に行うところもある。
食 初 祝	生後120日目にごはん、魚を食べさせる祝。
初 誕 生	赤ちゃんが生まれて満1年の誕生日に行う祝。
初 節 句	生後初めての節句で、女子は3月3日の雛祭、男子ならば5月5日の端午を祝う。
七五三祝	男女共3歳ならば髪置、男児5歳が袴着、女児7歳を帯解の祝いとして、いずれも11月15日に産土神に参詣する。
就 学 祝	子女が満6歳になり、初めて学校に入学するとき行う。
還暦の祝	本卦返りの祝いともいい、男女60歳の誕生日に行う。
古希の祝	人生70古来稀なり——というより長命のめでたさを祝う。70歳の誕生日に紅白の餅を作って知己に配る。
喜の字祝	77歳の誕生日に行う。77(七十七)の3字を合すると草書の喜の字に似ているということで餅、扇子、帛紗に喜の一字を書いて配る。
八十の祝	餅などを配って祝う。
米の字祝	88歳の誕生日に行う。88(八十八)の3字を重ねると米の字になるということで祝う。
白の字祝	99歳の誕生日に行う。百から一をとれば九十九になることに因む。
百の字祝	文字通り百歳のめでたい祝。

時　候

正月	新春の候、初春の候、謹賀新年		
1月	厳冬の候、寒気厳しい折りから、酷寒のみぎり、厳しい寒さが続きます	7月	盛夏の候、酷暑のみぎり、暑さの厳しい折り、暑中お見舞申し上げます
2月	立春の候、余寒のみぎり、春寒の候、立春とは名ばかりの寒い日が続きます	8月	残暑の候、炎暑の候、晩夏の候、まだまだ暑さの厳しい今日この頃
3月	早春の候、春光うららかな季節となりました、ようやく春めいてきました	9月	初秋の候、立秋の候、さわやかな初秋の季節となりました
4月	陽春の候、春暖の候、桜花の節、春色日増しに心地好く感じられる季節となりました	10月	仲秋の候、秋冷の候、紅葉の節、菊香る好季節となりました
5月	新緑の候、若葉の候、風薫るさわやかな季節となりました	11月	晩秋の候、霜月の候、向寒の折りから、朝夕はめっきり冷え込む昨今
6月	初夏の候、梅雨の候、めっきり夏めいてまいりましたうっとうしい梅雨の季節となりました	12月	師走の候、寒冷の候、年末ご多忙の折りから、あわただしい年の瀬を迎え

日本列島、北から南まで美味珍味、郷土自慢の一品

お国じまん

●掲載順●

北海道・青森県・岩手県・宮城県・秋田県・山形県・福島県・茨城県・栃木県・群馬県・埼玉県・千葉県・東京都・神奈川県・新潟県・石川県・福井県・山梨県・長野県・岐阜県・静岡県・愛知県・三重県・滋賀県・京都府・大阪府・兵庫県・奈良県・和歌山県・鳥取県・島根県・岡山県・広島県・山口県・徳島県・香川県・愛媛県・高知県・福岡県・佐賀県・熊本県・大分県・宮崎県・鹿児島県・沖縄県

北海道 名寄市

もち米生産農家自ら製造販売の 「ふうれん大福」

稲作北限からの生き残りをかけて作られた絶品。

粘りがあるのに柔らかで、しっとりなめらかな風味。

ソフト大福には天然素材を練り込んだ、塩豆、よもぎ、かぼちゃ、ごまなど全18種類があります。

名寄市

（記事：50 頁掲載）

青森県 むつ市

航空自衛隊の味を本州最北の下北で！ 「大湊 Sora 空っ！」 を召し上がれ！

航空自衛隊第42警戒隊直伝の「鶏の唐揚げ」

市内の提供店舗6店舗で楽しむことができます。

むつ市

（記事：192 頁掲載）

岩手県 一関市

川カニの出汁で作る「かにばっと」

　川カニの出汁で作るひっつみ（すいとん）です。
　最近ではカニが獲れなくなったこともあり、集落の行事などに伝統料理として受け継がれています。

一関市

（記事：88頁掲載）

宮城県 登米市、栗原市、大崎市 など

宮城県北の郷土料理「はっと」

　登米市、栗原市では「はっと」や「はっとう」、大崎市の一部では「つめいり」「つみれ」、ほかの地域では「ひっつみ」などと呼ばれます。食べ方は多様で、汁物にした「はっと汁」（写真）のほか、"あんこ"や"ずんだ"などと絡めたりもします。

栗原市　登米市
大崎市

（記事：206頁掲載）

秋田県

矢島町

郷土菓子 「松皮餅」

　赤松の皮が練り込まれた餅で餡を包んだ郷土菓子で、美しい赤紫色が特徴です。

　近年は、冷え性に対する効果があるとして注目されています。

（記事：228 頁掲載）

山形県

内陸部

果物の女王 「ラ・フランス」

　主に、山形県の内陸部で栽培される「ラ・フランス」。色や形が不揃いで、決して見栄えが良いとは言えないですが、食べてみると驚くほど上品で、とろけるようなおいしさです。

（記事：210 頁掲載）

福島県 伊達市

スローフード 最高の甘み「伊達のあんぽ柿」

1つ1つ丁寧に手間ひまかけて仕上げられ、美しいツヤとトロリとした食感が人気の逸品です。

伊達市

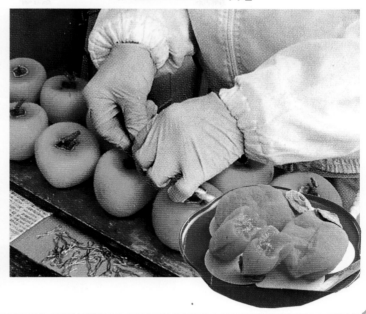

（記事：220頁掲載）

福島県 会津若松市、喜多方市、会津美里町

漢方の王様「オタネニンジン」

強壮、疲労回復、血液改善に必要な「サポニン」が多く含まれているので、近年、需要が高まっています。

喜多方市
会津若松市
会津美里町

（記事：176頁掲載）

茨城県

県内全域

茨城県が誇る銘柄牛「常陸牛」。その肉質は、海外でも高い評価を得ています。

県内全域

歴史ある和牛「常陸牛」

（記事：16頁掲載）

栃木県

宇都宮市、真岡市

ごはんのおかずとして、酒のつまみとしても美味しいです。
　素朴な家庭料理ですが、ほっとするお袋の味と言えるでしょう。

宇都宮市
真岡市

郷土の料理「落花生みそ」

（記事：30頁掲載）

群馬県　県内全域

県産食材 100%使用 「ぐんまのすき焼き」

お肉から野菜まで、全ての食材が県内産でまかなえる「ぐんまのすき焼き」はいかがですか。

県内全域

（記事：146 頁掲載）

埼玉県　ときがわ町

伝統野菜 「埼玉青なす」

ときがわ町では、伝統野菜の「埼玉青なす」が特産品。
普通のなすと異なり、淡緑色で丸っこい巾着型をしています。

ときがわ町

（記事：110 頁掲載）

千葉県

海匝、山武地域

「かいそう」

飯岡町の刑部岬下の海でとれたコトジツノマタ（海草）を良く煮溶かして固めたものです。

海匝、山武地域では、新しい年を祝う喜びの料理として、欠かせません。

海匝、
山武地域

（記事：24 頁掲載）

東京都

伊豆諸島

「アシタバ（明日葉）」

伊豆諸島に自生していますが、健康野菜として食用に栽培されています。苦みとおいしさのバランスは、やみつきになる味わいです。

伊豆諸島

（記事：54 頁掲載）

神奈川県 横須賀市

サラダもいけるナス 「よこすか水なす」

生やサラダだけではない
よ、漬物や煮物、炒め物も
美味しいよ！

（記事：126 頁掲載）

新潟県 村上市

「鮭の酒びたし」

村上の「酒びたし」は、
毎年7月7日の羽黒神社大祭
に、なくてはならない逸品
です。

（記事：106 頁掲載）

石川県

金沢市

もっちり食感 「加賀れんこん」

県を代表する伝統野菜です。

夏はシャキッ、秋から冬はデンプン質が蓄積され、もっちりした食感になります。

▲ポンプを使って行う「水掘り」作業風景

▶圃場風景

（記事：168 頁掲載）

福井県

県内全域

ブランド和牛 「若狭牛・三ツ星若狭牛」

自然豊かな越前若狭の気候の中で丹精込めて育てられた牛。最高級の和牛です。

（記事：76 頁掲載）

山梨県　県内全域

山梨県産農畜水産物ブランド「おいしい未来へ やまなし」

「おいしい未来へ やまなし」のキャッチフレーズ、ロゴマークとともに、山梨県産農畜水産物の魅力や特徴を PR していきます。

おいしい未来へ
やまなし

県内全域

▲生産量日本一を誇る山梨のモモ

▲皮ごと食べられる1番人気のシャインマスカット

（記事：130 頁掲載）

長野県　県内全域

オリジナル新品種「クイーンルージュ®」

種がなく皮ごと食べられる赤系ぶどう新品種が市場デビュー！

糖度が20％でとても甘く、期待の新品種です。

県内全域

▲ナガノパープル　◆クイーンルージュ®　▲シャインマスカット

（記事：184 頁掲載）

岐阜県

加茂郡川辺町（中濃地方）

旬の果物、栗等につぶあん、クリームが入った格別な「ふるーつ大福」

「ふるーつ大福」は、大粒の苺やいろんな果物、密漬栗等につぶあん、たっぷりのクリームが入って、フルーツと甘い餡、そしてクリームの美味しい香りが口に広がって格別な味わいです。

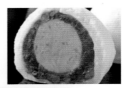

加茂郡川辺町
（中濃地方）

（記事：80 頁掲載）

静岡県

県内全域

しずおか県初の和牛肉統一ブランド「しずおか和牛」

上質でおいしい牛肉が生まれる環境に、これまでに培われた生産者の努力と技術が相まって生まれた和牛、それが「しずおか和牛」です。

県内全域

（記事：92 頁掲載）

愛知県 県内全域

地鶏の王様「名古屋コーチン」

名古屋コーチンは日本を代表する鶏で、日本三大美味鶏の1つです（他に比内鶏、薩摩鶏）。

◀名古屋コーチンの雄（右）と雌（左）

県内全域

▲名古屋コーチンのくわ焼き

▲名古屋コーチンのひきずり鍋

（記事：202頁掲載）

三重県 多気郡大台町栗谷、熊野市金山町

「落花生の煮豆」

煮豆と言えば大豆が一般的ですが、煮豆といえば落花生という地域があります。
正月には欠かせない一品です。

多気郡
大台町栗谷

熊野市金山町

▲落花生の五目煮豆　　▶落花生ご飯

（記事：232頁掲載）

滋賀県　近江八幡市

滋賀県が開発したこだわりの高級地鶏 「近江しゃも」

近江しゃもは「肉質」・「飼育方法」・「食べ方」にこだわって生産されています。

味・コク・歯ごたえ・栄養バランス、どれをとっても一級品のブランド地鶏です。ぜひ一度、近江しゃもをご賞味ください。

近江八幡市

▲すき焼き

写真：近江しゃも普及推進協議会提供

（記事：12 頁掲載）

京都府　京丹後市、亀岡市、宮津市、舞鶴市、綾部市、南丹市、福知山市

京都が誇るプレミアムな米　新品種「京式部」

開発者と生産者たちの熱い気持ちから生まれたオリジナル米新品種、『京式部（きょうしきぶ）』。

京丹後市
舞鶴市
綾部市
宮津市
南丹市
福知山市
亀岡市

その先の美味しさへ、老舗料亭が認めるお米。

京式部

（記事：188 頁掲載）

大阪府 地蔵浜

「大阪産(もん)シラス」の競争入札

かつて、水揚げされたシラスはセリを行わず、安価で取引されていました。近年資源量が減少したため、セリ方式に変更、価格が向上しました。

地蔵浜 ●

▲セリ

▶シラス丼

（記事：164頁掲載）

兵庫県 播磨、神戸・阪神、淡路

完熟ならではの甘みと香り「兵庫県産いちじく」

明治42年から続く兵庫県のいちじく。
素朴な甘さで栄養たっぷりないちじくは、夏バテ防止にもぴったりの夏の果実です。

☐ 播磨
☐ 神戸・阪神
☐ 淡路

（記事：134頁掲載）

奈良県 宇陀市と五條市の中間

大和伝承の生薬 「ヤマトトウキ」

宇陀市や五條市で古くから栽培されてきた薬用作物「ヤマトトウキ」

根は漢方薬に、葉は食用として利用されています。

▲「奈良の食カタログ」掲載写真より

（記事：42頁掲載）

和歌山県 田辺市

希少な春の食べ物 「紀州ひろめ」

わかめと同属同種の海藻で、全国でもごく限られた海域しか分布していません。

おいしさは格別で、様々な料理に使われています。

（記事：20頁掲載）

鳥取県

鳥取市福部町

鳥取の砂の恵み 「鳥取砂丘らっきょう」

特産品「らっきょう」は、色の白さとシャキシャキとした軽い歯切れの良さが特長。

水分や栄養素が少ない砂丘の厳しい環境が生み出した、鳥取の自慢の逸品です。

鳥取市
福部町

（記事：150 頁掲載）

島根県

県内全域

切り身使いカブで彩り 「タラのかぶら蒸し」

雪が舞う頃のタラは、文字通り脂が乗って美味しいです。

冬の特産・津田カブと白カブで彩りを添えた蒸し料理です。

県内全域

（記事：58 頁掲載）

岡山県 総社市

冬季が食べ頃の希少な桃 「冬桃がたり」

「冬桃がたり」の果肉はなめらかで、上品な芳香があり糖度が高いのが特徴です。

岡山を代表する「清水白桃」よりも甘く、平均糖度は15度を超えます。

総社市

（記事：172 頁掲載）

広島県 備後灘、安芸灘

地域自慢の食材 「小いわし」

初夏の逸品・小いわしの刺身。

昔から、「7回洗えば鯛の味」と評され、鯛のような高級魚にも勝る味と言われています。

備後灘

安芸灘

（記事：114 頁掲載）

山口県

下関市豊浦町小串

イワシを使った郷土料理 「ほうかむり」

「ほうかむり」は、新鮮なイワシのすり身を昆布で巻き、甘く煮込んだ郷土料理です。

下関市
豊浦町小串

（記事：72頁掲載）

徳島県

県内全域

県民に親しまれるお茶 「阿波晩茶」

コクがあるのに、さっぱりとした少し酸味のある味わいが魅力のお茶です。

県内全域

（記事：196頁掲載）

香川県　県内全域

春先からの旬の味「わけぎあえ」

　ワケギは、ひな節句のころが最もおいしく、まて貝やたこ、あさりなどであえます。

県内全域

（記事：38 頁掲載）

愛媛県　伊予市唐川地区

初夏の味「唐川びわ」

　100年以上の歴史がある「唐川びわ」は伊予市の「ますます、いよし。ブランド」に認定されています。
　みずみずしいとろけるような果肉は、さわやかで上品な甘みが楽しめます。

伊予市
唐川地区

（記事：118 頁掲載）

高知県

東北のしめさばで「高知風の鯖ずし」

東北の鯖と高知の柚子・生姜が仲良くなり「どこでも、手軽に作れる鯖ずし」が生まれました。

県内全域

（記事：214頁掲載）

福岡県 県内全域

福岡の食を支える「福岡のお酒」

西日本の米どころである福岡県は、日本有数の酒どころです。

品質の高さも知られていて、世界最大規模の品評会（日本酒部門）で最優秀賞に入選しました。

県内全域

（記事：34頁掲載）

佐賀県 小城市

佐賀の特産品が盛りだくさんの 「マジェンバ」

佐賀県の特産品を満載した冷麺「マジェンバ」。

言葉の語源は佐賀弁の「混ぜんば」。

小城市の新しいご当地グルメです。

（記事：96 頁掲載）

熊本県 八代市

出荷量全国２位の 「八代生姜」

八代地域特有の疎植栽培と大きな種生姜により、根茎の１つ１つが大きく育ち、みずみずしく、辛みが少ない生姜です。

（記事：62 頁掲載）

大分県 県内全域

百年の恵み「おおいた和牛」

幾度となく日本一に輝いてきた豊後牛の歴史が始まって100年目の節目（平成30年）に、新しい県産和牛ブランド「おおいた和牛」が誕生しました。

県内全域

（記事：68頁掲載）

宮崎県 日向市

宮崎の特産柑橘「へべす」

「かぼす」「すだち」と同じ香酸柑橘で、県内で栽培されています。

さわやかな香りと程よい酸味は料理を選ばず、食欲をそそります。

日向市

（記事：138頁掲載）

鹿児島県 桜島

故郷に残したい食材 100 選 「桜島小みかん」

　「桜島」で古くから栽培されてきたミカンで、農林水産省の「故郷に残したい食材100選」に選ばれました。

　果肉は柔らかく、甘さと酸味のバランスが最高です。

（記事：224 頁掲載）

沖縄県 県内全域

「ポーク玉子」 がおにぎりになって大ブーム

　ご飯で玉子焼きとランチョンミートを挟んだ「ポーク玉子おにぎり」。

　専門店も出来て、県民以外に観光客にもお馴染みになりました。

県内全域

（記事：154 頁掲載）

春

カエデの花

関東では4月の中旬から下旬かけて、カエデは淡いピンク色の小花をたくさんつけます。地味で目立たず、人知れず咲いては消えていきますが、丘陵地や低山では、この花に春先に出現する小型のカミキリ類、ハムシ類が好んで集まってきます。

キブシの花

冬枯れで色が少ない早春の野山で、うすいクリーム色の上品な花は人気があります。

キブシの花は、葉が出るよりも先に咲き、その連なった鈴のような花は遠目でもかなり目立つ存在。さし芽で活着し、小さな苗でも花が咲くので、鉢植えでも楽しめます。

春

レンギョウ

春に黄色い花をつける花木は多いですが、その王様はレンギョウでしょう。ポツンと1本立ちで咲いているのも素敵ですが、屋敷周りに垣根のように植えている家も多く、眩しすぎる黄色に、思わずうっとりしてしまいます。

ホタルカズラ

名前の通り、蛍を思わせるかわいらしい薄青色の小花を咲かせます。里山を歩き疲れて一休み。ふと目の前を見たら、この姿が飛び込んできました。乾いた崖に自生していたので、このような環境が好きなのでしょう。一服の清涼剤になりました。

春

コブシ

　モクレンやタイサンボクと同じマグノリア属の花木で、低山や里山に自生しています。マグノリア系の木は欧米でも人気が高く、優美な花は見て楽しく、香りも優雅でフルーティー。香水などに使用されるマグノリアの上品な香りは、タイサンボクの花からとれたものです

ムスカリ

　もともとは西アジアや地中海が原産の植物です。丈夫で育てやすい秋植えのユリ科の球根草花で、最近になって公園や洋風の庭でよく目にするようになりました。鮮烈な青紫色の花は爽やかで、春の花壇にはピッタリ。おまけに剛健で耐寒性にすぐれています。

春

エゴノキ

初夏の野山を歩いていると、よく目にするのがエゴノキの白い花です。どこに行っても見つけることが出来るのですが、不思議と群生していることは少ないようです。うつむいて咲くその姿から、欧米ではスノードロップツリーとも呼ばれているそうです。

ムサシアブミ

里山の遊歩道を歩いていたら、足元に奇妙な植物が生えていました。ムサシアブミという名前だそうで、馬に乗ったときに足をかける「あぶみ」に似ていることが由来。サトイモ科の特徴である肉穂花序と仏炎苞を持った花をつけます。

シャクチリソバ

帰化植物で北海道では外来種リストに入っています。

の形はハート、白い小花を沢山つけてかわいらしいのですが、

調べたところ、「シャクチリソバ」という植物のようです。葉

畑の畦で見かけない草花が佇んでいました。図鑑やネットで

オナモミ

ひっつき虫として有名です。小学生の頃、自宅付近で見られるひっつき虫は「イノコヅチ」と「キンミズヒキ」のみでした。家の離れた同級生が、このオナモミの実を教室に持ってきてみんなに投げつけていたのを懐かしく思い出します。

イヌタデ

どこにでもある雑草ですが、よーく見ると淡いピンク色の花穂は美しく、あらためて素晴らしい草花だと感じました。子どもの頃はこの花穂をほぐして「赤まんま」と言って遊んだものです。いまの子どもからすると、「何が楽しいの？」となってしまいます。

ガマズミの実

　このように素敵でつややかな赤い実をつけるのに、「ガマズミ」という無骨な和名をつけられて少々かわいそう。全国の雑木林に自生する落葉低木で、赤い実は生食できます。野鳥たちも大好きで、サルも好むそうです。

クサギ

北海道から沖縄県まで、全国の野山や路傍で見られる落葉低木です。枝葉に悪臭があるため漢字では「臭木」と記されます。夏から秋にかけて次々と花を咲かせますが、赤紫色の萼と白色の花冠がとってもオシャレです。

ハギ

　華奢な枝葉に、眩しいくらいきれいな薄ピンクの花をつける萩の木。日本人でこの木が嫌いな人はいるのかな？　と思わせるくらい我々のハートをガッチリつかんでいます。特にお寺の庭に咲いているハギは秀逸で、絵になります。

ヤマホトトギス

園芸品種のホトトギスも良いけれど、里山の林下でひっそり咲いているヤマホトトギスは、また違った味わいがあります。色彩もそうですが、この奇妙で芸術的な花の形はどうやって生まれてきたのか、自然のいたずらでしょうか？

ヒョウモンチョウと野アザミ

近ごろ市街地でヒョウモンチョウを見かけることが多くなりました。多くの昆虫類が都市部で減少をしている中、この蝶がヒラヒラと舞って花を捜している姿を見ると、嬉しくなってしまいます。このときはアザミに吸蜜にきていました。

◉付　　　録◉

暮らしの記録簿

科目分類一覧表……………………………………………………274
現金収支簿……………………………………………………………276
日別・月別整理表…………………………………………………318
科目別・月別収支・家計費集計表………………………………326
贈答品控（もらい物・贈り物）…………………………………328
住　所　録……………………………………………………………330

科 目 分 類 一 覧 表

科 目		分類番号	内 容 例 示
収 入	農 業 収 入	01	米、麦、雑穀、豆類、いも類、野菜、果実、その他の作物（葉たばこ、茶、い、こんにゃく、てんさい等工芸農作物、花き、花木、苗木類、球根、種子）繭、鶏卵、豚、牛乳、牛馬等の畜産物の販売収入、家計消費など。農作業受託収入。
	給　　　料パ ー ト 賃 金	02	給料及び手当（ボーナス）、パート賃金
	財 産 的 収 入	03	固定資産の売却、預金等の引き出し、借入金、資産分割による増加（遺産相続、分家による被贈）。
	そ の 他 収 入	04	林業、水産業、商工業、その他農業以外の自営業からの収入、地代、利子、出稼ぎ者からの送金、もらいもの、年金扶助及び補助金等並びに家事収入（新聞、骨董品等の売却、賃貸間代など）。
支 出	農 業 支 出	11	雇用労賃、種苗・苗木及び蚕種、もと畜、種付料、肥料、飼料、農業薬剤、諸材料及び加工原料、光熱・電力費、農具部品・修繕、農用自動車維持、農用建物維持修繕、賃貸料及び料金、土地改良費及び水利費、支払小作料、その他の農業支出。農業関連の借入金利子。
	農 外 支 出	12	林業、水産業、商工業、その他農業以外の自営業のための支出。農業関連以外の借入金利子。
	財 産 的 支 出	13	土地、建物、自動車、大農具、大動物（肥育牛を除く）・植物等の固定資産の購入、預貯金等預け入れ、借入金返済、資産分割による減少（遺産相続、分家のための贈与）偶発損失（盗難貸倒れなど）。
租 税 公 課 諸 負 担		20	国税、地方税、農業共済負担、国民年金、健康保険、その他の社会保険料、産業団体負担、その他の諸負担。
家 計 費	飲 食 費	31	穀類、いも、豆、野菜、海藻、果物類、魚介類、肉類、卵乳類、調味料、油脂類、菓子類、調理食品、飲料、酒類、外食、飲食関連サービスなどの支出。
	住 居 費	32	借地借家料、自宅維持修繕。
	光 熱 水 道 料	33	家庭用の電気、ガス、灯油などの購入支出、上・下水道料。

科	目	分類番号	内　容　例　示
家計費	家具家事用品	34	家庭用耐久材（炊事用品、冷蔵庫、調理台、井戸ポンプ、掃除機、洗濯機、ミシン、扇風機、冷暖房用機具、たんす、応接セット、鏡台等）室内装備品、寝具類、家具類、家事雑貨、家事用消耗品、家事サービス代。
	被服履物費	35	和服、洋服、シャツ・セーター、下着、生地、糸類、履物、被服関連サービス（仕立、クリーニング等）
	保険医療費	36	医療品、保険医療用品、器具、診察料、入院費用。
	交通通信費	37	交通費、自動車等維持、通信代。
	教育費	38	授業料、教科書、参考書、補修教育。
	教養娯楽費	39	音響製品、写真機具、楽器、机・いす、子供用乗り物、文房具、運動用具、玩具、書籍、新聞、雑誌、旅行、受信料、観劇、現像・焼付、子供会・老人会の費用。
	雑費	40	小遣、諸会合、理美容、身の回り用品、たばこ代など、紛失金、罰金、さい銭、布施、募金など。
	贈答・送金	41	
	臨時費	42	冠婚葬祭、出産費など。

現金収支簿のつけかた

★　現金収支簿をつけるにあたって、まず、前年度からの繰越金を正確に勘定し、摘要欄には繰越金と書き、残高欄には繰越金額を記入します。

★　よそから品物を貰った場合、その品物を現金と考え、その現金で品物を買ったというように記入します。

★　組合員勘定等口座を利用して売買した場合は次のように記入します。
　　○農協を通じて野菜を売り、代金は農協口座に振り込まれた。
　　　代金を農業収入欄に記入→同額を「農協預金預入れ」として支出欄に記入。
　　○農協から肥料を購入し代金は口座から支払った。
　　　代金を農業支出欄に記入→同額を「農協預金引出し」として収入欄に記入。

★　肥料を買って代金を後で支払う場合には農業支出欄等に記入するとともに、収入欄に同額を記入し、そして代金を支払ったときに財産的支出として記入します。
　　逆に野菜等を売って後で貰う場合には、農業収入欄等に記入するとともに、支出欄に同額を記入し、後で貰ったときに財産的収入として記入します。

現 金 収 支 簿

月日	摘　　　　要	分類番号	現　金　収　支		
			収　入	支　出	残　高

月 日	摘　　　　要	分類番号	現　金　収　支		
			収　入	支　出	残　高

月	日	摘　　　　要	分　類番　号	現　　金　　収　　支		
				収　　入	支　　出	残　　高

月	日	摘　　　　要	分類番号	現　金　収　支		
				収　　入	支　　出	残　　高

月 日	摘　　　要	分 類番 号	現　　金　　収　　支		
			収　　入	支　　出	残　　高

月	日	摘　　　　要	分類番号	現　金　収　支　収　入	支　出	残　高

月	日	摘　　　　要	分　類番　号	現　金　収　支		
				収　　入	支　　出	残　　高

月 日	摘　　　　要	分類番号	現　金　収　支		
			収　　入	支　　出	残　　高

| 月 日 | 摘　　　　要 | 分 類番 号 | 現　　金　　収　　支 | | |
			収　　入	支　　出	残　　高

月 日	摘　　　　要	分 類番 号	現　金　収　支		
			収　　入	支　　出	残　　高

月	日	摘　　　　　要	分 類番 号	現　金　収　支		
				収　入	支　出	残　高

月 日	摘　　　要	分類番号	現　金　収　支		
			収　入	支　出	残　高

月 日	摘　　　要	分類番号	現　金　収　支		
			収　入	支　出	残　高

月 日	摘　　　　要	分 類番 号	現　金　収　支		
			収　入	支　出	残　高

月 日	摘　　　要	分 類番 号	現　金　収　支		
			収　入	支　出	残　高

月 日	摘　　　要	分類番号	現　金　収　支		
			収　入	支　出	残　高

月 日	摘 要	分 類番 号	現 金 収 支		
			収 入	支 出	残 高

月 日	摘　　　　要	分類番号	現　金　収　支		
			収　入	支　出	残　高

月 日	摘　　　要	分類番号	現　金　収　支		
			収　入	支　出	残　高

月 日	摘 要	分 類番 号	現 金 収 支		
			収 入	支 出	残 高

月 日	摘　　　　要	分 類番 号	現　金　収　支		
			収　入	支　出	残　高

月 日	摘　　　　要	分類番号	現　金　収　支		
			収　入	支　出	残　高

月 日	摘　　　　要	分 類番 号	現　金　収　支		
			収　入	支　出	残　高

月 日	摘　　　　要	分 類番 号	現　金　収　支		
			収　入	支　出	残　高

月 日	摘　　　要	分類番号	現　金　収　支		
			収　入	支　出	残　高

月 日	摘　　　　　要	分類番号	現　金　収　支		
			収　入	支　出	残　高

月 日	摘　　　　要	分類番号	現　金　収　支		
			収　　入	支　　出	残　　高

月 日	摘　　　要	分類番号	現　金　収　支		
			収　入	支　出	残　高

月 日	摘　　要	分類番号	現　金　収　支		
			収　入	支　出	残　高

月 日	摘　　　要	分類番号	現　金　収　支		
			収　入	支　出	残　高

月 日	摘　　　要	分 類番 号	現　金　収　支		
			収　入	支　出	残　高

月	日	摘 要	分類番号	現 金 収 支		
				収 入	支 出	残 高

月 日	摘　　　要	分類番号	現　金　収　支		
			収　　入	支　　出	残　　高

月 日	摘　　　要	分 類番 号	現　金　収　支		
			収　　入	支　　出	残　　高

月 日	摘　　　要	分類番号	現　金　収　支		
			収　入	支　出	残　高

月	日	摘　　　要	分類番号	現　金　収　支		
				収　入	支　出	残　高

月	日	摘 要	分 類番 号	現　金　収　支		
				収　　入	支　　出	残　　高

月	日	摘　　　　要	分 類番 号	現　金　収　支		
				収　入	支　出	残　高

月	日	摘　　　　要	分 類 番 号	現　金　収　支		
				収　　入	支　　出	残　高

月	日	摘　　　要	分類番号	現　金　収　支		
				収　入	支　出	残　高

月 日	摘　　　要	分 類番 号	現　金　収　支		
			収　入	支　出	残　高

月 日	摘　　　　要	分類番号	現　金　収　支		
			収　　入	支　　出	残　　高

日 別・月 別 整 理 表　　〔項目：　　　　　　　　　単位：　　〕

	1 月	2 月	3 月	4 月	5 月	6 月
1						
2						
3						
4						
5						
6						
7						
8						
9						
10						
11						
12						
13						
14						
15						
16						
17						
18						
19						
20						
21						
22						
23						
24						
25						
26						
27						
28						
29						
30						
31						
合　　計						

毎日記録したいもの、例えば牛乳や鶏卵の生産量（額）、家計費、小遣等の支出整理に利用してください。

7 月	8 月	9 月	10 月	11 月	12 月	チェック計

日 別 ・ 月 別 整 理 表　　〔項目:　　　　　　　　　　　　　単位:　　〕

	1 月	2 月	3 月	4 月	5 月	6 月
1						
2						
3						
4						
5						
6						
7						
8						
9						
10						
11						
12						
13						
14						
15						
16						
17						
18						
19						
20						
21						
22						
23						
24						
25						
26						
27						
28						
29						
30						
31						
合　計						

毎日記録したいもの、例えば牛乳や鶏卵の生産量（額）、家計費、小遣等の支出整理に利用してください。

7 月	8 月	9 月	10 月	11 月	12 月	チェック計

日 別 ・ 月 別 整 理 表　　〔項目：　　　　　　　　　　　　　単位：　　〕

	1 月	2 月	3 月	4 月	5 月	6 月
1						
2						
3						
4						
5						
6						
7						
8						
9						
10						
11						
12						
13						
14						
15						
16						
17						
18						
19						
20						
21						
22						
23						
24						
25						
26						
27						
28						
29						
30						
31						
合　計						

毎日記録したいもの、例えば牛乳や鶏卵の生産量（額）、家計費、小遣等の支出整理に利用してください。

7 月	8 月	9 月	10 月	11 月	12 月	チェック計

日 別・月 別 整 理 表　　〔項目：　　　　　　　単位：　　〕

	1 月	2 月	3 月	4 月	5 月	6 月
1						
2						
3						
4						
5						
6						
7						
8						
9						
10						
11						
12						
13						
14						
15						
16						
17						
18						
19						
20						
21						
22						
23						
24						
25						
26						
27						
28						
29						
30						
31						
合　計						

毎日記録したいもの、例えば牛乳や鶏卵の生産量（額）、家計費、小遣等の支出整理に利用してください。

7　月	8　月	9　月	10　月	11　月	12　月	チェック計

科 目 別 ・ 月 別 収 支

科目\月	収		入		
	農 業 収 入	給料・パート	財産的支出 （預貯金等引出し）	その他収入	収 入 計
1					
2					
3					
4					
5					
6					
7					
8					
9					
10					
11					
12					
計					

科目\月	家 計 費					
	飲 食 費	住 居 費	光熱・水道料	家具用品費	被服・履物費	保険・医療費
1						
2						
3						
4						
5						
6						
7						
8						
9						
10						
11						
12						
計						

・ 家 計 費 集 計 表

		支			出	
農 業 支 出	農 外 支 出	財産的支出 (預貯金等預入れ)	租税公課負担	家 計 費	支 出 計	

		家	計	費		
交通・通信費	教 育 費	教養・娯楽費	諸 雑 費	贈答・送金	臨 時 費	

贈答品控え　　　もらい物（現金を含む）控え

月日	贈り主	理　由	品　名	見積価額 円	月日	贈り主	理　由	品　名	見積価額 円

贈り物（現金を含む）控え

月日	贈り先	理　由	品　名	見積価額 円	月日	贈り先	理　由	品　名	見積価額 円

住　　所　　録

氏　　名	☎	住　　　　　　　　所	☎

住　所　録

氏　　名	〒	住　　　　　　　所	☎

住　所　録

氏　　名	☎	住　　　　　所	☎

住　所　録

氏　　名	☎	住　　　　　　所	☎

【新年度版】 令和3年版 **食料・農業・農村白書** 	**農林水産省 編 A4判 456頁 定価2,860円** 特集テーマは「新型コロナウイルス感染症による影響と対応」。トピックスは7本で、「農林水産物・食品の輸出の新たな戦略」「みどりの食料システム戦略～食料・農林水産業の生産力向上と持続性の両立をイノベーションで実現～」などを取り上げた。	
【新年度版】 令和3年版 **水産白書** 	**水産庁 編 A4判 300頁 定価2,640円** 特集は「マーケットインの発想で水産業の成長産業化を目指す」。現場の水産関係事業者による多数の取組事例を紹介した上で、マーケットインの取組として求められる方向性について考察している。 特集に続いては「我が国の水産物の需給・消費をめぐる動き」などの章で水産業の動向を紹介。	
【新刊】 **農政トライアングルの崩壊と** **官邸主導型農政改革** ―安倍・菅政権下のTPPと農協改革の背景― 	**作山巧著 A5判 125頁 定価1,980円** 第2次安倍政権では、自民党農林族・農水官僚・農協から成る「農政トライアングル」が崩壊し、TPP締結や全中解体のような農政改革が首相官邸主導で実現した。 その背景にある地殻変動を、TPP参加協議にも従事した元・農水官僚の研究者が明らかにする。	
【新刊】 **農政記者四十年** ―食と農のララバイ、あるいは 大震災十年とコロナ禍― 	**伊本克宜 著 A5判 386頁 定価2,640円** 農業専門日刊紙「日本農業新聞」の記者として40年にわたる取材・報道活動を振り返り、国内外における、その時々のエポックメイキングな出来事について舞台裏の内情披露も交えて回想する。大物政治家やJA会長等との交流を通じて放ったスクープ記事も数多い著者のマスコミ人としての気概を知る格好の書でもある。	
進化するサバ缶詰 ―サバ缶ブームによる新しい変化― 	**松浦勉 著 A5判 113頁 定価3,080円** 2018年起きたサバ缶ブーム。各種の賞に選ばれるなど、サバ缶は平成の健康ブームの中でも特にインパクトの大きい社会現象であった。本書はサバ缶ブームの経緯をまとめ、他の青魚缶詰への影響、ブームによるサバ缶を取り巻く環境の変化などを分析。そして、サバ缶の消費拡大に資すると思われる新しい変化を明らかにする。	
人生を変える最強の食事習慣 ―『時間栄養学』で「健康」「成功」を 手に入れる― 	**大池秀明 著 四六判 248頁 定価1,760円** 最新の時間栄養学による研究成果集。【朝食を食べる習慣】と「学校の成績」「体力」「入学した大学」「入社した企業」「年収」に相関があるという調査結果には驚かされる。また、ワクチン接種の効果を上げる時間帯もやはり朝（午前中）だという研究成果もある。	
農業は夢・チャレンジの **フロンティア** ―日本農業を創造する 新世代農業経営者の挑戦― 	**門間敏幸 著 四六判 283頁 定価1,980円** 農業経営研究歴40年の著者は、新世代農業経営者のチャレンジに大きな驚きを受け、9名の経営者を訪問。その特長をまとめた。日本農業の担い手は高齢化によるリタイアが進み、将来におけるわが国の食料生産・供給の危機が言われている。しかし、著者の結論は「この人たちがいるから将来の日本農業は大丈夫だ」。	
日本農業年報66 **新基本計画はコロナの時代を** **見据えているか**	**谷口信和：編集代表 平澤明彦・西山未真：編集担当** **A5判 291頁 定価3,080円** 本書は新基本計画の評価にあたり、まず日本と各国のコロナ禍の影響のついての概況をまとめ、新基本法については分野別にコロナ禍を踏まえたうえでの評価を行った。さらに今後につながる新たな論点も提示した。総論を含め21の章からなる。	

発 行 一般財団法人 農林統計協会

〒141-0031
東京都品川区西五反田7-22-17 TOCビル11階34号
TEL 03-3492-2987 FAX 03-3492-2942
URL http://www.aafs.or.jp/

重 要 書 類 控 （預貯金、保険、有価証券類、免許証、鑑札、その他）

種　　　　　別	番　　　号	備　　　　考

家 族 控

氏　　　　名	続柄	生 年 月 日	年齢	血液型	備　　　考
		・　・			
		・　・			
		・　・			
		・　・			
		・　・			
		・　・			
		・　・			
		・　・			
		・　・			

あとがき

　このファミリー日誌の編集に際しては、各都道府県、市町村、JA、観光協会などの関係者各位から貴重な原稿をお寄せいただき、これを掲載することができました。

　発刊に当たり、各位に対し深甚の謝意を表します。

令和4年版　ファミリー日誌（2022年）

定価 1,590円
（本体 1,445円＋税）

令和3年10月31日　発行

編　集　一般財団法人 農林統計協会
印　刷　藤原印刷株式会社

発　行　一般財団法人 農 林 統 計 協 会
〒141-0031 東京都品川区西五反田7-22-17　TOCビル11階34号
電話　東京03（3492）2987
FAX　東京03（3492）2942
郵便振替　00190-5-70255

氏名　　　　　　　　　　　　　　☎

住所　〒

ISBN978-4-541-04338-2 C0061